Raymond Queneau

de l'Académie Goncourt

Un rude hiver

Gallimard

I

Les Chinois avançaient précédés par deux sergents de ville.

Pour voir ça, les mercantis sortirent de leurs souks avec des yeux en bille et le clapet *bouche* ouvert. Des moutards galopaient le long du cortège en criant : les Chinacos, les Chinacos. Aux fenêtres se tendirent des cous, sur les balcons apparurent des curieux. Un tram remonta la file asiatique, et ses occupants, au dernier stade de la coagulation, interpellèrent les défilants en des langues variées et en termes insultants.

Lehameau s'arrêta sur le bord du trottoir, sans grand enthousiasme pour cet exotisme.

Derrière les deux flics marchaient primo deux Chinois ayant sans doute quelque autorité sur leurs compatriotes, secundo un Chinois porteur d'un parasol jaune, tertio un Chinois porteur d'un objet également jaune formé de deux ellipsoïdes enfilés sur un bâton selon leur plus grand axe, quarto un Chinois porteur d'un drapeau chinois pourvu de toutes ses bandes, quinto un Chinois porteur d'un drapeau également dans la même condition, sexto un Chinois frappant sur une plaque de fer, septimo un contorsionniste chinois habillé de jaune et agrémenté d'une barbe postiche, octavo un Chinois également vêtu de jaune et frappant l'une contre l'autre deux longues lattes de bois, nono un Chinois porteur d'un objet qui pour la population européenne présente ne pouvait faire figure que de canne à pêche et decimo une centaine de Chinois parmi lesquels se trouvaient des porteurs de petits drapeaux français.

La population européenne présente, asteure composée pour la majeure partie d'autochtones et pour le reste de Belges, à quelques exceptions près dont la plus remarquable, aux yeux de Bernard Lehameau tout au moins, était une jeune, grande et blonde, naturellement, Anglaise en uniforme de W.A.A.C., la population européenne présente, infirmières, femmes, permissionnaires, embusqués, réfugiés, vieillards, infirmes et enfants, la population européenne en son entier à trois ou quatre exceptions près dont Lehameau et la waac qu'il reconnut, car elle travaillait à la Base britannique en qualité de dactylographe, la population européenne donc ne se tenait plus de joie, de cette exhibition asiatique. Y avait des rigolos sur la terre. Et pour aimer tellement que ça le jaune fallayent qu'ils soyent tous un peu cocus. Ah ces Chinois, plus marants que les kabyles pas marants à cause de leurs couteaux, plus marants que les hindous pas marants puisque tous militaires, plus marants même que les nègres, pourtant ils sont marants les nègres.

Arrivés sur la place Thiers, les Chinois formèrent un cercle autour duquel s'agglutina la population européenne et à l'intérieur duquel se développèrent des pantomimes. Lehameau élut sa voisine, trouvant sympathique la gravité de son visage. La foule riait, des Chinois et de leur simplicité.

— Zey lâffe, dit Lehameau, bicose zey are stioupide.

La jeune fille, il la supposait telle, sourit. Il ajouta :

— Zey lâffe, bicose zey dou notte undèrrstande.

Il dit encore :

— Aïe laïe-ke zatt : you dou notte lâffe.

Les Chinois se mirent à chanter, on dirait des chats à qui on tire la queue, disaient les uns, on dirait l'air du roi de Siam, disaient les autres, parce que lorsque le petit roi de Siam était venu en France, au concert ce qu'il avait aimé le mieux ç'avait été quand les violons et les autres instruments s'accordent, des barbares tous ces gens-là, puis ils, les Chinois, reformèrent leur cortège et s'en furent provoquer l'hilarité dans un autre quartier.

— Itt ouaze véri inntérestigne, dit Lehameau. Ao dou you dou ?

— Très bien merci, dit la demoiselle militaire. Et vous ?

— Tiens, vous parlez français ?

— Oui, c'est même pour cela que l'on m'a choisie pour travailler en contact avec les autorités militaires françaises.

— Toutes mes félicitations. Vous parlez infiniment mieux français que je ne baragouine l'anglais. Pourtant vous me voyez interprète. Par raccroc d'ailleurs. Je suis déjà hors de combat.

Il montra que pour marcher il devait s'ap-

10

puyer sur une canne, il le faisait plus par chic que par besoin réel, puis donna ce complément d'information :

— Charleroi.

On apprécia le renseignement d'un bref silence respectueux, puis reprenant le cours de la conversation avant qu'il ne déviât.

— Ma mère était française.

— Ah, très bien.

Il dit encore une fois : très bien, puis tous deux se turent.

— Voilà mon amie qui sort de ce magasin, reprit la militaire. Excusez-moi, je vais la rejoindre.

— Je vous en prie. D'ailleurs, nous nous reverrons bientôt, n'est-ce pas ? Et j'espère.

Il la regarda s'éloigner, tandis que autour de lui finissait de se disperser la foule et s'éteignaient les ricanements.

— Ravissante, idiots, apprécia-t-il.

Ce n'était pas qu'il aimât les Chinois, ni même qu'il eût pour eux quelque indulgence, estimant fondées les vues de l'empereur d'Allemagne sur la menace qu'ils représentaient, mais allez donc parler de l'empereur d'Allemagne à des gens bornés ; il trouvait simplement dans cet incident un nouveau prétexte pour amplifier son mépris.

Il reprit son chemin et, songeusement quant à la tête, d'un pas net quant aux pieds, il termina sans bavures son itinéraire. Des radis l'attendaient, et le chat qui miaula espérant des sardines, et Amélie qui craignait une combustion trop accentuée du fricot. Le maître de maison grignote les végétaux, caresse l'animal et répond à l'être humain qui lui demande comment sont les nouvelles aujourd'hui :

— Pas fameuses.

Il pense :

— détestables,

mais Amélie, une bonne, n'a pas besoin de connaître le fond de sa pensée, malgré ses quinze ans de service. Cependant, à l'arrivée du plat chaud, il ne put se retenir de pronostiquer la défaite des Roumains.

— Ils ne sont pas de taille à résister aux Allemands.

— Aux Boches, corrigea Amélie qui ne pouvait admettre qu'un militaire français se refusât à utiliser l'expression courante.

La prudence de Lehameau n'était d'ailleurs pas extrême. Chez le coiffeur, chaque jour, il ne se gênait pas pour railler les espoirs du vulgaire troupeau des lecteurs du *Matin* et autres canards. Il ironisait sur les cosaques à cinq étapes de Berlin et restait sceptiquement insolent devant les histoires de pain caca, d'enfants aux mains coupées et de tartines de confiture suffisantes pour la capture d'un nombre pratiquement illimité de Boches. Bref et bref il se créait lentement et sûrement une sale réputation. Et de plus il lisait les communiqués allemands dans le *Journal de Genève* auquel il était abonné, ce qui lui permettait de river leur clou à pas mal de naïfs bêlant l'inexacte prose de l'informateur français. Il savait de combien de cents mètres les troupes françaises se repliaient lorsqu'elles reculaient et de combien de millions d'archines les troupes russes reculaient lorsqu'elles se mettaient en déroute.

Tout de même le vulgaire troupeau n'osait trop rien dire. Lehameau était un personnage respectable, fonctionnaire assez gradé dans le civil, et dans le militaire blessé de guerre et peut-être même héros. C'était son tempérament à lui d'être pessimiste, se disait-on, voilà tout. Tout de même on trouvait parfois qu'il allait un peu fort quand il prétendait que ça pourrait bien encore durer dans les six mois cette guerre. Et encore il était modeste en disant ça, car dans le privé il déclarait qu'elle serait d'une durée illimitée, qu'on se tirerait des coups de canon jusqu'à plus soif et qu'on parviendrait en fin de compte au massacre mutuel des populations occidentales pour la plus grande joie des sémites et des jaunes. Et encore était-il modeste en disant ça, car en lui-même il ne s'en tenait pas là.

Après le café qu'il aimait fort et qu'il buvait tiède, Amélie le délogea sans respect, pour desservir. Il sortit, pour une balade hygiénique et solitaire, en attendant le bureau, les heures penchées sur les transports annoncés, les allées et venues de troupes britanniques, un travail sérieux et confidentiel. En général, il commençait par prendre le funiculaire et suivait un itinéraire assez fixe, point sclérosé pourtant. Il admettait les détours, les crochets, les égarements même. Il marchait lentement, tant à cause de sa patte autrefois cassée que de son humeur mélancolique. S'appuyant sur une canne, il s'en allait à travers les rues désertes en suçant sa bruyère d'un air philosophique. Et ce faisant, naturellement pensait.

Il pensait à la guerre par exemple, à celle qu'il avait faite et aussi à celle qui continuait

à se faire. Il pensait à la France démocratique, maçonne et enjuivée, à la France où l'on
embusquait les ouvriers lesquels avaient ensuite le culot de se payer des poulets le dimanche, à la France qui se redressait peut-
être, empalée sur un casque à pointe. Il pensait à lui. Il pensait aussi à lui. Il pensait
également à sa famille. Il pensait à son père,
à sa mère, à sa femme. Son père ma foi vé-
gétait à la campagne au milieu d'un champ
de pissenlits. Sa mère était morte. Elle mourut
tragiquement, et sa femme. Depuis il était veuf,
et sans descendance. Et son veuvage était si
sincère qu'il faisait même sourire, et qu'on
en plaisantait. Mais il ne pensait pas à cela.
Il pensait à son amour. Il pensait à ses amours,
et aussi à sa jeunesse, et quelquefois à son
enfance. Sa mémoire était pavée de tombeaux,
comme celle d'un romantique, mais, fonctionnaire appliqué, il extirpait avec soin les mauvaises herbes qui croissaient dans les allées, et
entretenait passionnément les quelques mas-
sifs de fleurs qui malgré tant d'hivers n'avaient
point flétri. Ainsi songeait-il donc ; rêvait-il
donc ; ruminait-il donc.

Le jour des Chinois, il rumina jusqu'aux
bornes de la ville et se retrouva devant le

fort de Tourneville, près des fossés duquel la population venait entendre la canonnade du front transmise jusque-là par des phénomènes d'acoustique que seuls des journalistes très calés en artillerie avaient été capables d'expliquer à l'ignorance des non-mobilisés. Il regarda l'heure et, l'ayant vue, en conclut qu'il devait prendre un tram pour rentrer en ville. Il attendit, seul sous le signal vert. Sa pipe était éteinte. Il soupira ; puis le tramway vint, qui était vide. Le bruit gonflait cette solitude que rythmait le timbre à l'avant. A la station suivante montèrent deux voyageurs. Ils s'assirent en face de Lehameau.

La petite fille devait avoir dans les quatorze ans, un peu moins peut-être, le petit garçon six sept. Ils payèrent puis restèrent un instant tranquilles. Lehameau se disait, quelle imprudence de laisser deux enfants se déplacer ainsi seuls à travers une grande ville. Il examina plus attentivement la petite fille et la jugea bonne proie pour un satyre, avec ses cheveux de gaude, ses yeux plus bleus et beaux que ceux des poupées, sa bouche déjà dessinée pour les baisers, ses très jeunes seins, ses jambes purement moulées quoique encore un peu grêles. Elle lui sourit. Il rougit. Apercevant

16

du soldat sur le trottoir, le petit garçon dit :

— Tiens des Canadiens.

C'était une provocation.

— Des Canadiens, fit avec mépris la petite fille : des Ecossais. Ils ont des jupes.

— Non, c'est des Canadiens.

— Tu es bête. Tu vois bien que c'est des Ecossais.

— C'est des Canadiens. Je le sais. C'est des Canadiens qui portent des jupes comme des Ecossais, mais c'est des Canadiens.

— Tu es bête. Si c'est des Ecossais c'est pas des Canadiens.

— Tu peux pas parler de ça. Tu es une fille.

Ils se chamaillèrent un bout de temps, puis le petit garçon sortit un badge de sa poche.

— Regarde s'il est rigolo.

— Oh un poireau.

— Je ne sais pas comment il s'appelle ce régiment-là.

— Oh c'est une blague. Un poireau. C'est pas un badge.

— Puisque tu le vois.

— C'est une blague. Un pas vrai.

Ils recommencèrent à se chamailler. Lehameau intervint.

— C'est l'insigne des Welsh Guards, un régiment formé en 1915.

Les petits enfants se turent et le toisèrent avec calme, sans paraître apprécier le renseignement.

— On descend au prochain arrêt, dit la petite fille.

Ils se levèrent. Sur la plate-forme, la petite fille se retourna et sourit. Ils descendirent. Lehameau les suivit des yeux. Le tramway repartit. Lehameau ferma les yeux pour regarder courageusement le grand vide tout noir qui s'était creusé en lui.

II

Eclairée au gaz, la boutique de Mme Dutertre clignotait dans la longue obscure rue
Casimir-Périer, clignotait faiblement comme
un œil myope. De loin on pouvait prendre
cela pour une mercerie miteuse avec un rayon
de bonbons sales et un rayon de cahiers. De
près, y avait pas d'erreur, c'était un asile
de l'intelligence et de la culture et de la civilisation. Eclairée au gaz, Mme Dutertre pro-
posait aux quelques rares amateurs de cette
province le sel de toute bibliothèque qu'est un
vieux bouquin.

Clairsemée en temps de paix, la clientèle
devenait en temps de guerre quasiment inexis-
tante. Le goût du moisi n'a jamais beaucoup
possédé le Havrais ; les richards de l'endroit
se fournissaient chez Gonfreville, rue Bernar-
din-de-Saint-Pierre, ou à la capitale ; les autres,

ceux du commun, même avec un porte-monnaie se tenant debout, se satisfaisaient l'entendement avec les publications modernes, ou même quotidiennes.

Mme Dutertre n'acceptait pas philosophiquement la chose : elle s'en réjouissait. Arrivant d'outre-Seine et d'outre-Caux, elle avait toujours pris le Havrais pour une buse, un obtus, un grossier avec une comprenoire d'une très faible ouverture de compas. Elle ne lui lâchait sa marchandise qu'avec répugnance et lorsqu'elle encaissait quelques patards elle se disait toujours, autant de moins pour le bistrot du coin. Car elle haïssait la mastroquocratie.

Elle vivait seule, Mme veuve Dutertre ; cousait, lavait, balayait, cuisinait. Et puis, en lisant, elle attendait l'improbable venue d'un acheteur, argenté d'abord, et surtout éclairé. Car les Havrais, Dieu, en qui elle ne croyait pas, pour ce qui était de l'intelligence, à son idée à elle, il les avait bien mal servis. Elle ne regorgeait pas d'intellectuels, la bonne ville franciscopolitaine, ça non, et le feu de sa salamandre n'en avait pas fait éclore beaucoup. Cependant quelques esprits distingués avaient accoutumé de venir voir Mme Dutertre, d'une façon désintéressée d'ailleurs, et, à la lueur du gaz, dans l'échoppe philosophico-politique, on causait.

Lehameau se dégage hors des ténèbres de la rue Casimir-Périer et se fixe dans l'hésitante lumière. Aussitôt Mme Dutertre lui demande :

— M. Lehameau, vous êtes allé au Gaumont, cette semaine ?

C'était là un des nombreux points sur lesquels ils n'étaient point d'accord : Lehameau fréquentait assidûment le Kursaal et l'Omnia-Pathé, mais il ne pouvait souffrir le Gaumont. Mme Dutertre savait qu'il allait répondre :

— Ma foi non,

mais il fallait bien une petite préface à sa petite histoire.

— Figurez-vous, continua-t-elle, que je faisais la queue pour prendre ma place et savez-vous à quoi s'amusait le jeune voyou qui se trouvait derrière moi ? A griller ma fourrure avec sa cigarette. Sa sèche, comme ils disent. Sa roulée. Sa cibiche. Heuh ! Ma pauvre fourrure. Ma pauvre fourrure qui ne vaut pas cher. Je n'ai pourtant pas l'air d'une duchesse, d'une duchesse sur le dos de laquelle on peut se venger de sa misère.

— En ce moment, dit Lehameau, on ne

peut pas parler de la misère des ouvriers, avec tout l'argent qu'ils gagnent.

— Moi, dit Mme Dutertre, si je dis du mal des ouvriers, c'est parce que je les aime.

— Vous avez bien tort, dit Lehameau.

— Autrefois, continua Mme Dutertre, je me suis occupée des universités populaires, et du mouvement féministe. J'ai collaboré à *La Fronde.*

Elle le lui avait déjà dit cent fois.

— Mais, continua Mme Dutertre, je me suis dégoûtée de tout cela. Les gens sont trop bêtes.

— Ça c'est bien vrai, dit Lehameau.

— Et, continua Mme Dutertre, quand je dis les gens, j'entends aussi bien les bourgeois que les prolos. Sont-ils stupides et canailles, ces bourgeois. Mon propriétaire, par exemple, qui laisse pleuvoir dans ma chambre sous prétexte que je ne paye pas mon loyer, avec quoi voudrait-il que je le lui paye, son loyer ?

Lehameau ne dit rien ; pour lui, le moratorium était une sanglante injustice, œuvre des francs-maçons.

— Avec quoi voudrait-il que je le lui paye son loyer, continuait Mme Dutertre, quand je vends un malheureux bouquin de cent sous toutes les trois semaines. Et encore quelquefois je suis obligée de refuser. Tenez, l'autre jour, un lycéen voulait m'acheter un exemplaire de la *Pucelle* avec les planches. Naturellement je n'ai pas voulu. J'en aurais eu des histoires avec les parents s'ils avaient découvert le bouquin.

— C'est une saloperie ce bouquin, dit Lehameau.

— Bah, dit Mme Dutertre, ça n'empêche pas Voltaire d'être un grand homme. C'est beau ça de défendre les opprimés et les innocents injustement condamnés.

Lehameau haussa légèrement, et discrètement, les épaules.

— Savez-vous monsieur Lehameau, continua Mme Dutertre, que j'ai failli mettre sur pieds une affaire qui aurait fait autant de bruit que l'affaire Dreyfus ?

A ce nom Lehameau grinça des dents.

— Mais je n'ai pas eu de chance.

Elle fit silence.

— Qu'est-ce que c'était ? demanda finalement Lehameau.

— Voilà. C'était sur le bateau d'Honfleur. Je ne sais plus comment ça s'est fait, mais je suis entrée en conversation avec un marin, pas un marin du bateau, mais un marin qui allait voir sa famille à Honfleur. Il m'a raconté sa vie. Il était dans la marine de guerre, et figurez-vous qu'il avait surpris deux de ses officiers qui, vous me comprenez, ça arrive dans la marine. Un des officiers lui dit : si tu parles c'est Biribi. Le malheureux a parlé et ça a été Biribi. Oui, monsieur Lehameau, Biribi ! Cinq ans il est resté là-bas, et il en avait vu et il en avait subi des horreurs. Il m'a tout raconté, et la soupe au poivre, et la crapaudine, et les mœurs honteuses, et le reste. J'ai pris des notes, j'ai pris son adresse, je lui ai écrit, et, monsieur, j'allais commencer une terrible campagne de presse lorsque éclata l'affaire Dreyfus.

Lehameau grinça des dents.

— Naturellement, continua Mme Dutertre, on n'a plus fait attention à mon pauvre marin. Avouez que ce n'était pas de chance. Je serais peut-être devenue une polémiste célèbre, et me voilà bouquiniste dans une ville de barbares, ayant perdu mari et enfant.

Ils soupirèrent, puis firent silence. Lehameau crut percevoir une présence dans l'arrière-boutique. Etait-ce M. Frédéric ? Il voulut parler de l'actualité.

— Alors, dit-il, vous avez vu, François-Joseph est mort.

— Peuh, fit Mme Dutertre. Un vieillard sanglant.

— Un pauvre vieil homme, dit Lehameau. Un pauvre vieil empereur. Empereur.

Ce mot l'enthousiasmait. Lorsqu'il le prononçait, il avait l'impression de grandir.

Mais la mort publique rappelait Mme Dutertre à ses propres deuils. Elle n'était pas au courant de la vie privée de Lehameau, de ses deuils à lui. A l'époque de l'incendie, elle n'habitait pas encore la ville. Comme elle ne bavardait pas avec ses voisins, ces sauvages, elle ne pouvait donc évoquer que ses propres deuils, et avait hâte d'en parler.

— Connaissez-vous ce livre, demanda-t-elle à Lehameau en lui coupant sa rêverie impériale.

C'était un bouquin sur les « forces naturelles inconnues ». Lehameau ne l'avait point lu et ne céla pas sa désapprobation.

— Vous avez tort, monsieur Lehameau. Il y a bien des choses sur la terre que la science ne peut comprendre. Savez-vous que lorsque mon fils est arrivé pour la première fois au Sénégal, il a reconnu le paysage ? Il n'y était pourtant jamais allé. Et lorsqu'il disparut dans un naufrage, la nuit même il m'apparut en rêve. J'ai fait plus tard le compte des jours, c'était bien la nuit même du naufrage. Il est entré dans ma chambre mon fils, tout mouillé, trempé, ruisselant. J'étais très étonnée parce que dehors il ne pleuvait pas. Ensuite j'ai vu qu'il était tout vert, comme une grenouille, les mains, la figure, le costume, tout.

— Brr, fit Lehameau, vous avez dû être effrayée.

— Non, dit Mme Dutertre.

Elle reprit :

— Mon mari était déjà mort à cette époque. Mon mari était un salaud. Il me trompait avec la première venue.

Lehameau aurait voulu parler du destin des Habsbourg mais Mme Dutertre n'y semblait pas disposée, trop de songes semblaient la hanter. Il entendit dans l'arrière-boutique le froissement d'une page que l'on tourne. Il tressaillit.

— C'est M. Frédéric, murmura Mme Dutertre. Il lit une vieille édition de Luther. Elle est trop coûteuse pour qu'il puisse l'acheter, alors il me paye cinquante centimes par heure pour venir la lire chez moi M. Frédéric. C'est un Suisse.

— Un neutre, ajouta-t-elle.

— Il faut que je m'en aille, murmura Lehameau.

Dehors il frissonna, peut-être à cause du froid, peut-être à cause de ce cadavre vert, peut-être à cause du liseur dans l'arrière-boutique. Il aurait voulu marcher vite, mais il ne le pouvait plus. Cependant il ne renonça pas tout de suite à la nuit. Au lieu de remonter vers la rue Thiers, et au-delà, vers sa maison à mi-côte, il descendit vers le boulevard de Strasbourg et la Bourse, et, au-delà, vers le Bassin du Commerce. Les yôtes blancs cagnardaient dans une eau lourde, à face d'huile ; quelques-uns, allemands et séquestrés, pourrissaient, abandonnés. Au bout du quai Lamblardie, un trois-mâts norvégien reposait près des bois qu'il avait débarqués. Sur le quai des Casernes, le lent flâneur croisa un groupe de morveux à moitié ivres, de francs bandits de quatorze ans. A les voir, il éprouva une joie bien vive, comme un élu devant le spectacle des damnés au dire de certaines religions. C'était là le plus grand profit de ses promenades à travers les quartiers pauvres, il récoltait de la haine. Encore en cette fin d'après-midi d'hiver ne s'y appliquait-il pas spécialement ; il y avait maintenant en lui trop de troubles germant. Il passa sur le pont, et sous le pont s'épaississait l'eau du port toujours plus crémeuse d'huile et d'ordure, et de charbon. Il prit la rue des Drapiers et, après la pouillerie sordide et vibrante du quartier Notre-Dame, se retrouva en pays civilisé, rue de Paris. Les magasins étaient déjà fermés, ou leurs lumières obscurcies ; mais une foule, autochtone, militaire ou belge, animait consciencieusement cette voie principale.

Sur la jetée près du sémaphore il vit l'entrée de deux transports. Combien d'hommes de troupe ils transportaient, et combien d'officiers, et de quels régiments, ne le savait-il pas déjà ? N'était-ce point là son métier ? Et n'était-ce point grâce à cette fonction qu'il pouvait quasiment chaque jour échanger quelques paroles aimables avec Miss Weeds ? Il cessa de penser pour rire tout doucement avec lui-même, tout seul.

Il prit le tramway pour rentrer chez lui.

III

L'itinéraire méridien de Lehameau, devenu précis, le conduisait maintenant chaque jour près du fort de Tourneville. Il réussissait à s'y trouver vers la même heure que le premier jour, mais ne rencontrait point les enfants. Il attendait patiemment qu'ils apparussent. Ils ne paraissaient pas. Une promenade unique les avait-elle amenés là, qui ne se répéterait pas ? Ou bien avaient-ils découvert cette régularité nouvelle, la sienne et craint quelque satyre ? Ne venaient-ils là que toutes les semaines ou tous les quinze jours ou plus rarement encore ? Ainsi s'organisait un questionnaire chaque jour plus méthodique, mais Lehameau avait toujours eu une prédilection désintéressée pour cette partie de la ville.

Un beau jour, tout à coup, ils se trouvèrent là, devant lui, dans le tram. Ils étaient bien là tous les deux, et bien les deux mêmes. Le petit garçon, il le reconnaissait, plus ou moins, mais la petite fille était égale à son souvenir. Cet éclair qui l'avait transpercé, il le retrouvait incarné dans cette chair, si délicate qu'il s'étonnait qu'elle pût supporter une telle intensité de grâce. Cet éclair, n'avait engendré en lui que ténèbres. Sa nuit s'illuminait maintenant de cette flamme retrouvée, de la flamme menue mais étincelante que réalisait cette enfant. Foudroyé par cette rencontre, il vit à peine que la petite fille lui souriait. Elle poussa son frère du coude et lui dit :

— Montre ton badge au monsieur.

Il fouilla dans sa poche sans conviction.

— C'est le monsieur qui t'a dit ce que c'était que ton poireau, l'autre jour.

Le petit garçon cherchait d'un air maussade, sans regarder le monsieur. Finalement il exhiba le badge qu'il tendit en tournant la tête.

— Et alors, mon petit, demanda Lehameau d'un ton bonhomme, que veux-tu que j'en fasse ?

— Il voudrait que vous lui disiez quel régiment c'est, dit la petite fille. Mais il n'ose pas. Pourtant il m'a dit l'autre jour, si qu'on voyait le monsieur de l'autre jour, il saurait me dire seuxé. (ce que c'est)

— Ah, ah, fit un Lehameau solennel et doctoral, un demi-nœud surmonté de la couronne royale, voyons voir, c'est le South Staffordshire Regiment, dépôt Lichfield.

— Comment que vous dites ça, demanda le petit garçon.

— Je vais t'écrire ça sur un bout de papier. Tu pourras épater tes petits camarades.

Il dessina soigneusement le nom au dos d'une enveloppe, en grandes capitales.

— Voilà.

— Merci m'sieur.

La petite fille lut :

— Saouze Staffordshire Redgimennt.

— Très bien, dit Lehameau.

— Saouze Staffordshire Redgimennt, dit à son tour le petit garçon.

— Parfait, dit Lehameau. Excellent accent.

C'était un peu exagéré, mais il les trouvait si gentils ces deux enfants.

— Chez nous, dit le petit garçon, on entend parler anglais toute la journée. C'est à cause de nott grand sœur. Elle a beaucoup d'amis anglais.

La petite fille rougit. Lehameau rougit.

— Aussi j'en ai une belle collection de badges, continua le petit garçon. J'en ai même à revendre. J'en ai tant que ça parce que les Anglais qui viennent chez nous ils sont toujours prêts à donner tout ce qu'ils ont. Y a qu'à leur demander.

— Sais-tu que c'est défendu ce trafic de badges ? dit M. Lehameau.

naturellement — Turellement. Mais c'est pas vous qui allez me dénoncer, dites.

— Mais non voyons mon petit, ne crains rien.

— On descend là, dit la petite fille.

— Moi aussi, dit Lehameau sans vergogne.

— Tiens, dit la petite fille, vous avez mal à la jambe ?

— Blessure de guerre, dit Lehameau.

Les enfants le regardèrent avec respect. Ils étaient fiers de lui.

— Et où allez-vous comme ça ? Vous n'avez pas peur tout seuls par les rues ?

— Peur de quoi ?

— Oui bien sûr, fit Lehameau à mi-voix pour lui-même.

A eux :

— Et où allez-vous comme ça ?

— Lui, dit la petite fille, je le conduis à l'école Saint-Magloire et moi je vais au Collège Sainte-Berthe. Avant la guerre, on allait à la communale, mais maintenant notre grande sœur nous paye l'école religieuse. C'est plus chic qu'elle dit.

— Bien sûr, murmura Lehameau.

A un coin de rue, la petite fille s'arrêta.

— On va vous dire au revoir msieur. Notre école est là-bas.

— Au revoir mes enfants, dit Lehameau. Travaillez bien. Soyez bien sages. Ah. Je voulais encore vous dire une chose. J'aimerais bien voir cette belle collection de badges.

— C'est bien vrai que vous me dénoncerez pas, dit le petit garçon.

— Voyons voyons, dit Lehameau en forçant sur son rire.

— Venez nous voir un dimanche msieur Lehameau, dit la petite fille.

— Je viendrai dimanche prochain, dit Lehameau. Après je vous emmènerai au cinéma.

— Chouette, dit le petit garçon.

— Mais, dit alors Lehameau s'adressant à la petite fille, comment connais-tu mon nom ?

— Vous ne m'avez pas donné votre nom et votre adresse tout à l'heure ?

Elle lui montra l'enveloppe sur laquelle il avait calligraphié le nom du régiment anglais.

— C'était pas exprès ? demanda la petite fille.

Elle s'en fut. Il les regarda s'éloigner.

Quelques pas plus loin, la petite fille fit signe au petit garçon de l'attendre et elle revint vers Lehameau.

— Je m'appelle Annette, lui dit-elle.

Puis elle rejoignit son frère en courant.

IV

Tous les dimanches Lehameau allait déjeuner chez son frère Sénateur Lehameau, après
la messe. Bernard ne croyait ni à dieux ni à
diables et s'en vantait, mais il jugeait la reli-
gion bonne pour le peuple. Une visite domini-
cale à l'église quelques minutes avant l'*ite
missa est* constituait l'alpha et l'oméga de sa
dévotion. C'était une visite de politesse. Mais
son frère on ne le voyait jamais se déranger
pour ces mômeries ; il pratiquait une laïcité
militante et avait réussi à faire partager ses
opinions radicales à sa jeune épouse Thérèse,
dont la religiosité incertaine s'était évaporée
sans résistance devant le combisme agissant de
son vieux mari. Mais depuis le début de la
guerre, elle était cependant autorisée à se li-
vrer à certaines pratiques tolérées et même
conseillées par le clergé catholique, en vue de

la protection de nos braves poilus, là-bas sous les obus ; et ceci tout spécialement à l'usage de son beau-fils. Sénateur n'accordait cette dispense qu'à titre exceptionnel, en raison de l'union nationale, et aussi parce que les curés étaient allés se battre comme les autres, et enfin parce que ça ne faisait pas de mal, même si ça ne faisait pas de bien.

A l'église, Bernard se tenait debout, près de la sortie. Aussitôt l'*ite missa est*, il filait avec rapidité, n'ayant pas envie d'entendre les calotins implorer du ciel le salut de la troisième république, pouah. Après une station au café de la Marine pour son byrrh à l'eau, il arrivait chez son frère sur le coup de midi.

— Eh bien, dit Sénateur, on en a eu une tempête, une sacrée tempête, une tempête à décorner tous les cocus de la ville, ah ah.

— Quelles nouvelles de Charles, demanda Bernard.

— Excellentes. Ils ont des abris très bien aménagés, ça ne sera pas comme l'autre hiver. Tandis que les Boches, ils vont geler, les cochons.

— Je ne vois pas pourquoi ils gèleraient plus que les nôtres.

— Mais parce qu'ils n'ont plus de charbon.

— Alors tu t'imagines qu'il y a des chauf-
ferettes dans les tranchées ?

— Parfaitement. Parfaitement.

— Peuh.

— Voilà que ça commence, dit Thérèse.
Bernard, pourquoi êtes-vous donc si pessimiste ?

— Je ne suis pas pessimiste, dit Bernard.
Je vois simplement la vérité.

— Ah ah la vérité, dit Sénateur. La vérité
pour toi, c'est quand c'est noir. Quand c'est
blanc ça ne compte pas.

— Pas du tout. Par exemple, la vérité,
c'est que Thérèse est très belle aujourd'hui.

— Dis-donc, dit Sénateur, et les autres
jours, tu ne la trouves pas belle ta belle-
sœur ? Puisqu'elle est ta belle-sœur, ah ah.
Tiens, à table ! je crève de faim. J'ai ouvert
une boîte de sardines pour les hors-d'œuvre
et voilà du beurre qui vient en droite ligne
d'Isigny. C'est Shigot qui me l'envoie.

— Il est bon, dit Bernard. A part ça plus
de gâteaux à la crème, hein, et plus de viande
le jeudi ni le vendredi. Et l'on se moque du
pain K K. Mais ça va venir ici aussi.

— On verra bien quand ça viendra. Pour
le moment tu n'en manges pas encore du pain

K K, non ? Et puis la guerre tire à sa fin. J'ai entendu dire que l'on préparait une offensive pour la fin du mois. Les Boches sont à bout. La guerre pourrrait être finie à la fin de l'année.

— Si tu pouvais dire vrai, dit Thérèse.

— Cette offensive n'existe que dans ton imagination, dit Bernard à son frère, il y en a encore pour des années.

— Oh, dit Thérèse.

— Parfaitement, parfaitement.

— Ne le crois pas, dit Sénateur. Quand il aura bien déjeuné il verra la guerre finie demain. C'est son caractère. Il a toujours été comme ça. Il ne voit pas la vérité quand elle est noire, elle l'éblouit quand elle est blanche. Voilà mon frère ah ah.

— Un bon déjeuner ne me cache pas la vérité, dit Bernard.

— Ça c'est vrai, dit Sénateur. Ce n'était pas tout à fait juste ce que je disais tout à l'heure. Bernard a toujours eu le vin triste ah ah et la cuite morose.

— Ne dis donc pas des choses comme ça, dit Thérèse.

— Il ne me vexe pas.

— Et ce poulet, qu'est-ce que tu en penses ?

Regarde-moi ça s'il est succulent et bien doré, et ce petit croupion croustillant. Je me le réserve, c'est mon morceau de choix. Ah, on en mangera un fameux de poulet le jour où mon Charles entrera à Berlin pour y pendre Guillaume.

— Si j'étais ce poulet, dit Bernard, je serais bien sûr de vivre jusqu'à cent sept ans.

— Comment, dit Thérèse, vous ne croyez pas que nous serons victorieux ?

— Mais si mais si, mais il faut le temps.

— Prophète de malheur, dit son frère.

— Et, dit Bernard, qu'est-ce que tu penses des ouvriers qui gagnent maintenant des dix quinze francs par jour et s'achètent du poulet, comme toi et moi.

— Tant mieux pour eux, dit Sénateur.

— Tu trouves ça juste qu'ils soient embusqués dans les usines tandis que les paysans et les bourgeois sont au front ? Tu trouves ça juste toi qu'on paye des voyous pour tourner des obus et que ton fils se fasse gratuitement casser la figure dans les tranchées, enfin je veux dire qu'il risque de se la faire casser, enfin je souhaite naturellement que ça ne lui arrive pas.

— Je te remercie de tes bons sentiments,

dit Sénateur. Tu veux de la salade ? Enfin,
quand les Hohenzollern et les Habsbourg seront
pendus ou en prison, tous les peuples désar-
meront. Plus d'armées, plus de guerre.

— Rêveries, dit Bernard.

— Qu'est-ce que tu en sais ? Evidemment
il y aura un ennui : plus d'uniformes. Mais
il n'y aura que les femmes pour le regretter,
les coquines, ah ah.

— Es-tu bête, dit Thérèse.

— C'est comme ça, dit Sénateur. Parfaitement parfaitement, la vertu d'une femme ne
résiste pas à un uniforme ah ah.

— Tu avoues donc, dit Bernard, que les
neuf dixièmes des femmes se conduisent ac-
tuellement comme des putains ?

— Oh, dit Thérèse.

— Je n'ai jamais dit ça, dit Sénateur. Je
n'ai jamais dit ça. Il faut toujours que tu
noircisses tout.

— Admettons. Mais pour revenir à ce que
je disais tout à l'heure qu'est-ce que tu paries
que la guerre durera encore un an ?

— Goûte-moi ce camembert, il est épatant.
Non mais dis-moi donc tu crois peut-être que
parce que tu es pessimiste tu possèdes la vérité
présente et future ? Erreur, frérot. Erreur,

monsieur mon frère. Sais-tu comment je réfute tes propos défaitistes ? En riant : ah ah. En riant : ah ah.

— Tu as raison, dit Thérèse. Si on vous écoutait Bernard on mourrait de neurasthénie.

— Moi, je n'en meurs pas, dit Bernard.

— Naturellement, tu en vis.

— Je vois clair.

— Allons, allons. Tiens, tu vois ces oranges ? Elles viennent d'Espagne en droite ligne, c'est le Suisse qui m'en a fait cadeau.

— Il m'en a envoyé aussi, dit Bernard.

— Si on allait les voir cette après-midi, proposa Thérèse.

— Pourquoi pas, dit Sénateur. Ce n'est pas parce que Lalie est devenue une Geifer qu'elle a cessé d'être notre cousine. Et l'on remerciera le Suisse pour ses oranges. On restera peut-être dîner chez eux. Il faut bien les voir de temps en temps. Le cousin Adolf. Moi ça me fait mal de penser qu'il y a maintenant dans la famille un monsieur qui s'appelle Adolf avec un f, pas Adolphe péhacheu. Mais Lalie est tout de même une brave fille. D'ailleurs, quand elle était jeune fille, tu ne t'es pas privé de la peloter.

41

— Comme si ce sont là des choses à dire, dit Thérèse.

— Je regrette, dit Bernard, mais je suis pris cette après-midi.

— Eh bien viens nous y rejoindre vers les six sept heures.

— Alors ils seront forcés de nous inviter à dîner et on y mange comme des cochons.

— Tant pis, c'est de la politesse. J'aime mieux ça que d'inviter le Suisse chez moi.

— Il faudra bien un jour que tu l'invites, dit Thérèse.

— N'y pensons pas.

— Tu vois, dit Bernard, tu refuses de regarder la vérité en face.

Après le café il s'en fut prestement et sur la demie de deux heures arriva devant une petite villa que gardait un chien de faïence ; sur le toit dormait un chat de même matière. Dans le jardin que l'hiver grillait, en d'autres temps poussaient des géraniums. Des poules caquetaient. Bernard sonna.

Et ce fut Annette qui vint lui ouvrir, courant et criant.

— Oh alors, si je suis contente, si je suis contente.

— Bonjour, ma petite Annette.

— Bonjour, monsieur Lehameau, dit la petite.

— Appelle-moi plutôt monsieur Bernard, dit Lehameau. Alors, je t'emmène au cinéma ?

— Oh oui, monsieur Bernard. Entrez donc vous verrez ma Grande sœur Madeleine.

La Grande sœur Madeleine apparut au sommet du perron.

— Entrez donc, monsieur, cria-t-elle.

Elle était vêtue d'un kimono chinois genre persan avec entrebâillure sur le mollet. Elle avait tout l'air d'une fille de mauvaise vie.

— Mais entrez donc.

Il entra. Elle lui serra cordialement la main et le fit pénétrer dans une pièce dénommée salon, toute tapissée de drapeaux des nationalités les plus diverses, les plus en guerre et les plus alliées, et de photographies d'officiers d'armes variées mais en général britanniques.

— Mes filleuls, dit-elle en clignant de l'œil et elle alla quérir une bouteille de visqui.

Polo, le petit garçon, surgit alors dans un endimanchement soigné.

— Alors, vrai, on va-t-au cinématographe ? Où ça ? Je suis déjà z-été au Gaumont.

— On ira où M. Bernard nous conduira, dit Annette.

— J'ai pas envie de revoir deux fois le même programme, dit Polo.

— C'est gentil ça de les emmener au cinématographe, dit la Grande sœur Madeleine revenue avec la bouteille, moi j'ai si peu le temps de m'en occuper. Songez donc, monsieur, que depuis l'âge de quinze ans c'est moi qui doit m'en occuper de ces gosses. Alors vous comprenez, c'est pas dans une usine que je trouverais le moyen de leur donner une bonne éducation. C'est pas ma faute si la société est faite comme ça.

— Ni de la mienne, entredenta Lehameau qui goûtait peu les moindres soupçons de revendication sociale.

— D'ailleurs, je ne m'en plains pas, ajouta la Grande sœur.

— C'est ce qu'elle a de mieux à faire, pensa Bernard en avalant son visqui.

— Alors on les met ? demanda Polo.

— Comment? ah oui, dit Lehameau.

— Il est impatient, le petit, dit Annette.

— On va louper le commencement, dit Polo.

— Tu vas la boucler, dit Madeleine. Vous êtes interprète, je crois monsieur, si j'en crois ce que m'ont raconté les enfants.

— Quelque chose comme ça, dit Lehameau. Hm hm, fameux ce visqui.

— Il nous coûte pas cher, dit Polo.

— Bin oui : un cadeau, dit Madeleine.

— Alors, c'est-i demain qu'on y va t-au cinéma ? dit Polo.

— Je les emmène, dit Lehameau en se levant.

— Faites bien attention à eux, dit la Grande sœur Madeleine. Ce que je crains le plus, c'est les mauvaises fréquentations. Je me méfie. Y en a tellement à l'heure actuelle des voyous et des satyres.

— Vous pouvez avoir confiance en moi, dit Lehameau.

— Bien sûr. Vous avez bien fait la guerre, spa ? Alors.

Sur ce les expédia. Un captain Anzac devait s'amener. L'homme et les deux gosses prirent le tramway.

— Elle est charmante votre sœur, dit Lehameau.

— Elle est charmante, mais elle est pas honnête, dit Polo.

— Hihi, dit Annette, ce qu'il est vache.

— Cht cht, fit Lehameau, il ne faut pas vous exprimer comme cela.

Annette donna à son frère un coup de coude dans les côtes et cligna de l'œil. L'autre répondit par une grimace d'agrément.

— Véritablement, dit Lehameau, je ne puis vous promener si vous vous exprimez ainsi.

— Ça va, ça va, dit Polo. On a compris on est pas des oies.

— Hi hi, dit Annette.

— Garnement, dit Lehameau.

— Alors, dit Polo, où vous nous emmenez ? Pas au Gaumont hein ?

— Je vous emmène au Pathé.

— Chouette. Qu'est-ce qu'on joue ?

— Pas d'impatience, dit Lehameau dans son ignorance.

Un bonhomme s'assit non loin d'eux. Ils se turent.

Devant l'Omnia-Pathé une foule épaisse noircissait le trottoir. Elle coulait lourdement à l'intérieur comme du bitume, lente et puante.

— Merde, dit Polo, on va pas avoir de place.

— Polo, si tu recommences encore une fois à dire ce gros mot-là, je ne t'emmène plus.

— Bravo, monsieur Bernard, dit Annette.

— Mon œil, dit Polo. Mado m'a bien dit de pas vous laisser seuls ensemble.

46

— Idiot, dit Annette.

— Allons, allons les enfants, taisez-vous.

— Je veux bien me taire, dit Polo, mais comment qu'on va entrer ?

Maintenant il avait envie de pleurer devant tout le monde.

— Voilà : j'ai loué des places.

— Mince alors, dit Polo. Tu t'imagines : des places louées. Et c'est des orchestres au moins ?

C'était. Un ouvreur, un avorton rouquin, les conduisit à leurs places.

— Ça alors, dit Polo. Des orchestres, des fauteuils, du velours.

— Ce que vous êtes gentil, monsieur Bernard, dit Annette.

Lehameau, ému, essuya discrètement une larme. Puis, conséquemment, fit asseoir la petite fille à sa droite, et le petit garçon à sa gauche. Derrière eux siégeaient deux rombières ; un peu plus loin il y avait un réformé ; de-ci de-là on pouvait repérer des familles avec ou sans leur chef selon l'âge probable de celui-ci. Le reste des spectateurs était britannique. Une masse bruyante et en casquette grouillait au poulailler. De temps à autre un mégot ou un bonbon à moitié sucé tombait sur les rupins du parquet. L'orchestre, à l'heure indiquée sur le programme, se mit à jouer l'hymne national serbe, ce qui ne parut en aucune façon émouvoir la population accumulée en ce lieu de plaisir. L'hymne national serbe fut suivi de l'italien, ce qui suscita quelques réactions : çà et là quelques personnes se levèrent. Les autres ignorant la mélopée macaronique, commençaient à s'impatienter, avides de spectacle. Lorsque l'orchestre raclocuivra le Bouilli cranié tsatsa, une masse plus importante se dressa en l'honneur du petit père. La *Brabançonne* suscita l'érection des Belges. Enfin, le Godesavetéquinge mit la foule entière dans une attitude respectueuse ; les militaires britanniques avaient fini de rigoler, leur flonflon impérial avait l'air de les empaler. Puis ce fut la *Marseillaise*. Puis tout le monde se rassit.

— Quelle barbe, dit Polo. Quand c'est-i qu'ils vont commencer ?

— Patience, dit Lehameau. Patience.

A ce moment la nuit tomba, la projection ronfla, l'orchestre clabauda, Pathé-Journal s'annonça, le poulailler siffla.

— Ah la barbe, dit Polo.

— Ah la barbe, dit Annette.

48

— C'est très intéressant Pathé-Journal, dit l'une des vieilles dames derrière. Cela pourrait instruire le peuple, mais le peuple refuse de s'instruire.

Lehameau était tout à fait de cet avis, mais ne broncha pas. Quant aux enfants ils n'entendirent pas la remarque désobligeante, car eux aussi s'étaient mis à siffler. Les actualités offraient en effet une cérémonie officielle à l'Université d'Oxford ; le poulailler prenant les professeurs en toge pour des curés manifestait énergiquement ses convictions anticléricales sans d'ailleurs choquer le militaire anglais pour qui les sifflets n'avaient point cette valeur réprobative. Bref tout le monde était content sauf quelques bourgeois français qui comprenaient eux, grâce à leur instruction. Ensuite, on vit les cuistots aux armées et la bonne vie des tranchées et puis deux ou trois autres choses de ce format. Pathé-Journal terminé, les lampes se rallumèrent et le poulailler fit un ah de soulagement.

— C'est pas trop tôt, dit Polo.

— Eh Polo, dit Annette, vise là-bas.

— Où donc ?

— Tu vois pas Guiguitte ?

Elle dit à Lehameau :

— Guiguitte est une amie de ma sœur.

Les deux vieilles dames derrière lorgnèrent
également dans la direction indiquée. Guiguitte
ne pouvait être qu'une poule à quelques rangs
de là en compagnie d'un officier australien,
une belle poule dans le genre ce qu'on fait de
mieux sur la place du Havre.

— Mince alors, dit Polo, elle est vernie en
ce moment.

— C'est pas le même qu'avant-hier, dit
Annette.

Les deux vieilles dames proférèrent des c'est
scandaleux, ce qui fit rigoler les gosses, qui ne
prirent même pas la peine de les mépriser. Les
deux vieilles dames se turent.

La nuit se fit de nouveau et ah fit le poulailler
qui, de nouveau déçu par un documentaire sur
l'équitation exprima en oh sa consternation.
Cependant, indifférents à l'effet produit, des
chevaux noirs dansaient sur l'écran.

— La barbe, dit Polo.

Puis ralentis s'envolèrent tout doucement
au-dessus d'une haie.

— Squ'ils sont bien dressés, dit Polo.

Enfin, saluèrent et se retirèrent dans leur
bobine écurie à la satisfaction du public.

— C'est la barbe tout ça, dit Polo.

— De quoi que tu te plains, dit Annette, puisque tu ne paies pas.

— Je sais bien que c'est pas monsieur Bernard qui a fabriqué le programme.

— Et maintenant, dit Lehameau lisant un morceau de papier médiocrement imprimé, et maintenant vous allez voir les nouvelles aventures de Nick Winter.

Ils virent en effet, en trois parties, les nouvelles aventures de Nick Winter. L'arrestation d'une bande de vauriens fut universellement acclamée. Après, la direction glissait un entr'acte.

— Vous voulez sortir, demanda Lehameau.

— On est bien là, dit Polo. Pour une fois qu'on a des orchestres faut en profiter.

Une épicière se promenait dans la salle avec un panier sur le ventre. Lehameau régala la jeunesse.

— Alors ça vous a plu ?

— C'était chouette, dit Polo. Ah Niqueuvintère comment qu'il les a eus les autres.

— Et toi Annette ça t'a plu ?

— Ovoui. J'aimerais ça être détective.

— Comment ? Comment ?

— Ou espionne.

— Eh bien tu as de drôles d'idées.

— Ça ne vous plairait pas que je fasse ça, monsieur Bernard ? C'est pas drôle de travailler.

Lehameau regarda en douce derrière lui, et constata'vec plaisir l'absence des deux rombières. Mais son plaisir s'offusqua par la remémoration brusque, que l'une d'elles devait probablement être la belle-mère de Duplanchet, un collègue de Sénateur. Il n'en était pas sûr.

— C'est pas drôle de travailler, disait Annette. Quand on est espionne on boit du champagne et on tire des coups de revolver, c'est la vraie vie ça.

— Ah la la, dit Polo, je tvois en train de tirer des coups de revolver, tu casserais la bouteille de champagne, mais tu descendrais pas ton homme, peuh.

— Oui, mais j'aurais appris, dit Annette.

— Peuh. Dites donc, monsieur Bernard. vous en avez tué des Boches ?

— Non, répondit Lehameau.

— Sans blagues ? Qu'est-ce que vous avez fait alors ?

— La guerre maintenant ce n'est pas comme autrefois.

— Et le Boche qui vous a cassé la jambe vous lui avez rien fait ?

— J'ai été blessé par un éclat de shrapnell, alors tu comprends, comme les artilleurs sont très loin, on ne peut pas se venger sur eux nous les fantassins.

— Je serai aviateur, dit Polo.

— Eh bien, mes enfants, dit Lehameau, je vois que vous avez de l'ambition tous les deux.

Il prit la main d'Annette et la tapota paternellement. Annette se frotta tendrement contre lui. Polo haussa les épaules.

Lehameau tenait la main d'Annette et la tapotait paternellement. Un clignement d'œil de la petite le fit rosir. Il se détourna légèrement, comme pour examiner la salle. Il aperçut alors, très distinctement et sans hésitation, près de la porte de sortie, Miss Weeds. Il soupira.

— On étouffe ici. Je vais aller prendre un peu l'air dehors.

Il ajouta :

— Ne faites pas de bêtises pendant que je ne suis pas là.

Et s'en fut à travers les remous de la foule. Il avançait lentement, regardant de droite et de gauche, mine de rien, et lorsqu'il attrapa le regard de l'Anglaise, sourit modestement, puis s'avançant vers elle s'inclina. Elle n'était point seule, chaperonnée par une amie, accompagnées par un captain que Lehameau avait d'ailleurs l'honneur de connaître. Ce furent les salutations d'usage, puis des paroles polies et des remarques sans conséquence. Miss Weeds, obervant finalement qu'on étouffait ici, manifesta le désir d'aller prendre l'air dehors. Tout le monde se leva, mais dans la cohue le captain et la waac se perdirent. Lehameau se retrouva seul avec la miss sur le boulevard de Strasbourg.

Ils causèrent. Vous aimez le cinéma ? Vous y allez souvent ? Ce film était idiot. Que de monde. Ils causèrent.

Lehameau était très ému. Il examinait cette femme très attentivement, à la dérobée. C'était une grande fille blonde avec des flancs de cavale et des dents pas très bien rangées. Il la trouvait rudement bien.

La sonnette de l'entr'acte tinta. Lehameau, après s'être mouillé le palais, dit :

— Vous ne voudriez pas que nous allions un jour nous promener ensemble ?

— Vous savez bien que c'est défendu.

— Avec moi, ce n'est pas tout à fait la même chose. Vous auriez, nous aurions des excuses.

— Vous croyez. D'ailleurs, il n'y a aucun mal à ce que nous nous promenions ensemble, n'est-ce pas, mon lieutenant.

— Naturellement. Alors voulez-vous demain ?

— Demain.

— A quatre heures, au bout du boulevard de Strasbourg, près de la digue ? *dike*

— Je vois. Oui.

Il la reconduisit à sa place et salua l'autre waac et le captain. Puis rejoignit son fauteuil. Annette et Paulo l'attendaient, bien sages.

— Qu'est-ce que c'est que cette poule ? demanda Annette.

Il se retourna légèrement. Les deux rombières avaient décampé pour de bon. Il se demanda s'il n'existait pas quelque chose qui ressemblait à la chance. Mais Annette redemanda :

— Qu'est-ce que c'est que cette poule ?

— Ce sont des employées de la Base anglaise, répondit-il tranquillement comme à une épouse. Je suis en rapport avec eux, avec elles.

L'entr'acte terminé, les gens remis en place, la nuit se fit encore une fois et l'écran se bariola d'un film italien sur l'histoire ancienne, la romaine naturellement. La pluie se mit à tomber avec violence, hachant pudiquement les fausses notes de l'orchestre. Annette posa sa tête sur l'épaule de Lehameau.

V

Il arriva malgré la tempête qui lui mugissait dans la face. Tant par pudeur que par respect pour le bel uniforme qu'elle portait, l'Anglaise serrait ses jupes entre ses cuisses pour qu'elles ne se soulevassent point.

— Aô douïoudou missouidze, dit Lehameau.

— Très bien je vous remercie, j'adore ce temps-là.

— Lisseun, dit Lehameau, lisseun missouidze, lisseun ze ouind.

— Si nous nous promenions le long de la mer ?

De larges vagues embarquaient sur la digue.

— Youhar véri courajeusse, dit Lehameau.

— J'adore ce temps-là.

— Vous parlez bien français.

— Ma mère était Française.

— Ah oui, c'est vrai.

Il la regarda ainsi dessinée par le vent,
telle exactement qu'il n'avait cessé de se souvenir, une très belle fille vraiment, bien qu'elle
eût la poitrine un peu plate. La mer secouait
les galets en bavant et dans la rade deux ou
trois navires flottaient en désordre sur les moutons.

— Ce sont peut-être des transports, dit Miss
Weeds.

— Ce sont des transports.

Bien sûr.

— Le baromètre est descendu à 729 mil-
limètres, dit Lehameau.

Ce n'était pas extrêmement intéressant. Il
chercha autre chose.

— Vous allez souvent au cinéma ?

— En France, c'était la première fois. Et
vous ? Vous aimez ça ?

— Oh moi, je suis un habitué, un ama-
teur.

Il se tut brusquement ; se tournant vers
lui, elle vit avec étonnement le masque de la
stupeur s'appliquer sur son visage. Il venait
de faire une découverte.

— Qu'avez-vous ?

— Je m'étonnais.

— On peut savoir de quoi ?

— Questions personnelles, murmura-t-il. Questions personnelles.

Puis il craignit qu'elle ne pensât qu'il pensait à elle. Elle pouvait s'imaginer qu'il venait brusquement de s'apercevoir combien il l'aimait. Ce n'était pas cela. La vérité lui parut préférable.

— Je suis veuf, commença-t-il.

Il ajouta vivement :

— Cela a un rapport avec le cinéma, c'est à quoi j'ai pensé tout d'un coup. Je n'y avais jamais pensé. Mais je ne vois pas pourquoi je vous raconterais des histoires sinistres.

— Je ne vois pas non plus, mais vous en avez envie.

— Vraiment je peux ?

Ils allaient tordus par le vent le long du boulevard maritime. Elle ne répondit pas. Il raconta :

— On avait installé le cinéma aux Grandes Galeries Normandes, et puis tout a brûlé. Il y a longtemps de cela, plus de dix ans, on ne savait pas encore très bien se servir du cinématographe. Ma mère y était allée avec ses deux belles-filles, ma femme et celle de mon frère, j'ai un frère, et toutes les trois ont disparu, dans l'incendie.

Il laissa s'écouler quelque temps de silence, puis termina :

— Ce qui est drôle, oui drôle, c'est que je ne me sois pas dégoûté du cinéma. Voilà ce que j'ai découvert tout à l'heure.

Elle ne commenta pas son récit et il pensa elle doit me prendre pour un idiot ; et il pensa encore, sur une autre piste : mieux vaut encore un fils au front que pas de fils du tout, pas d'enfants. Puisqu'il racontait des histoires de familles, il était aussi utile qu'elle sache cela :

— Mon frère, lui, s'est remarié.

Il devenait également nécessaire de faire une intéressante remarque.

— Il est beaucoup plus âgé que moi. Il n'a pas été mobilisé. Mais ce n'est pas pour ça qu'il s'est remarié. Je veux dire qu'il s'est remarié avant la guerre.

Ces propos confus préparaient une entrée en scène de Thérèse. Il voulait lui dire, à Miss Weeds, que sa belle-sœur était, relativement, fort jeune, qu'elle était, trouvait-il, fort jolie, aussi jolie qu'elle, Miss Weeds, que d'ailleurs elle lui ressemblait, que du moins il y avait une certaine ressemblance entre elles deux. A l'examen, cette ressemblance se bornait à quelques modifications fugitives du visage, au regard peut-être, mais aussi à l'allure générale du corps, ces jambes longues, ces hanches pleines, ces seins petits et la tête droite. Thérèse avait des dents excessivement blanches et bien plantées, des vrais perles, disait Sénateur, ah ah.

Il revint brusquement au sujet primitif, et officiel, de la conversation.

— Vous ne voudriez pas venir avec moi au cinéma, de temps en temps ? Hm, m'autorisez-vous à vous faire cette demande ?

— Vous savez bien qu'il nous est interdit de sortir autrement qu'accompagnée par une autre waac.

— Vous savez bien aussi qu'étant donné mes rapports avec vos chefs, il nous sera facile de trouver des prétextes pour passer outre.

— Alors cela ne me regarde plus, dit Miss Weeds.

Ils rirent.

Cependant la nuit avait grandi, dissimulant peu à peu l'agitation insensée de la mer. Mais le vent ne se taisait point. Ils étaient arrivés à l'octroi de Sainte-Adresse. Lehameau proposa de prendre le thé dans un café désert qui s'avançait comme une bosse au-dessus des galets.

Le thé était très mauvais naturellement. Ils commencèrent par parler du thé naturellement. Mais les Français font mieux le café. On ne peut pas boire de bon café en Angleterre, c'est certain. Elle s'était engagée pour la durée des hostilités, pourquoi, parce qu'elle préférait cette vie à la couture chez sa maman. Sa maman était française et couturière, à Londres ; le papa anglais ne s'engageait pas. Elle ne cachait pas sa situation modeste, et le papa devait être une sorte de maquereau alcoolique, c'était facile à conclure. Lehameau avait fait deux ou trois petits séjours en Angleterre, mais des séjours d'été, des vacances à la campagne, il ignorait la misère de Londres, mais l'imaginait aisément ce lieu commun de l'anglicisme : la Chapelle-Blanche et le reste, comprenant ainsi que pour une jeune fille de cœur, un uniforme et la guerre vue d'ailleurs de loin, lui fussent énormément plus agréables et chers.

L'uniforme lui allait en effet à ravir, ce sont les termes mêmes qu'employa Lehameau qui, dans son ravissement croissant, osa lui demander son prénom.

— Helena, répondit-elle.

Elle avait répondu sans fioritures. Helena.
Lehameau se détourna et appuya son front
contre la vitre pour regarder dans la nuit, et
l'obscurité pendait aux vitres en longs lam-
beaux noirs qu'agitait le vent, et les deux uni-
ques consommateurs du café désert restèrent
ainsi quelque temps silencieux. Helena.

Ils restèrent ainsi longtemps silencieux.

Elle voyait devant elle un homme très
jeune encore mais déjà un peu lourd, un peu
grave ; au visage pas encore défiguré par le
temps mais rudement dessiné par le souci ;
grand pour un Français, non bien sûr pour
un bobby ; suffisamment beau ; aimable. Il lui
prit un dégoût rétrospectif pour tous les
jeunes gens d'outre-Manche qui, jusqu'à pré-
sent, seuls l'avaient embrassée, androgynes
fades et rances, médiocres comme de la crème
fraîche, cuvant toujours le lait de leur neur-
serie ; ou des commis brunâtres et cockneyens,
êtres de la petite race, énervés par leur délire
de confort et leur gloutonnerie de banlieue,
des encrasseurs de baignoire. Elle baissa les
yeux ; sur son poignet à lui s'allongeaient
quelques poils, signes discrets de virilité, non
la toison noire et suintante des esclaves, non

le répugnant duvet de babis quadragénaires.

— Il faut que je rentre, dit-elle brusquement, il est temps que je m'en aille.

Elle se leva.

— Je vous accompagne, dit Lehameau.

Mais elle voulait rentrer seule.

— Je vous verrai demain, dit Lehameau.

Elle lui serra la main et s'en fut et tout à coup il s'aperçut qu'elle n'était plus là, alors il sortit sur le trottoir, mais un tram venait de passer et sa vacillante lumière s'éloignait méthodiquement.

Il rentra dans le café, paya ; la patronne, une grasse femelle, lui témoigna quelque intérêt. Il n'y fit nulle attention et s'éloigna méthodiquement dans la nuit. Une petite pluie se mit à tomber. Des morceaux de ténèbres humides se plaquaient contre son visage. Mais parfois éclatait la blancheur d'une vague s'écrasant sur les galets. La lumière tournante d'un phare balayait périodiquement son aire, Lehameau pensait à des choses très lointaines, à sa vie. Il tira sur un fil et tout se dénoua, il ne trouvait plus que pièces et morceaux : une enfance ennuyeuse et soignée, quelque chose de sinistre et de contrit ; les études à la faculté de Caen et les farces d'étudiant ; le service militaire, une première fois, pas désagréable cela ; le mariage, d'amour certes ; l'abominable privation, puis la petite existence fonctionnaire et veuve ; enfin la délivrance de la guerre. La vue de l'affiche de mobilisation avait fait exploser en lui une gerbe de joie comme un bouquet de feu d'artifice. Et maintenant il enjambait les débris éparpillés par cet excessif enthousiasme.

Il s'arrêta soudain pour mesurer le fracas des vagues, saisi par le tragique de l'Océan. Comme quoi la mer est tragique : elle l'avait tiré brusquement par le bras ; en braillant. Mais il ne pouvait trouver en lui que de médiocres échos de ces déchaînements, quelques vulgaires traversées de moins d'un jour agrémentées de vomissures, quelques trempettes jusqu'aux genoux, car il ne savait pas nager. Ce n'est que dans les livres de son enfance qu'il avait rencontré tempêtes et naufrages, cyclones et orages, et le calme plat sous un ciel de plomb ; et dans sa propre vie, l'incendie.

La vue de l'affiche de mobilisation avait été pour lui un feu qui avait consumé tout un fatras de petites misères. Il comprenait, comme sien, le beau mouvement de Miss Helena

Weeds s'engageant pour servir sa patrie selon la mesure de ses moyens : elle s'était libérée elle aussi, cette belle et blonde fille venue grâce à la guerre près de lui. Il résuma tous les instantanés qu'il avait pris d'elle, telle fois de profil, et telle autre assise les jambes croisées, et telle autre marchant devant lui le précédant. Il recomposa les mouvements de son corps, sa forme, sa souplesse, sa réalité tendre et douce, la lumière du sourire, la discrétion des seins, la courbe sûre du mollet aperçu, l'ampleur des hanches.

Il se sentit malade de désir.

Il s'était éloigné de la mer et se trouvait maintenant en pleine ville, du côté des Halles. Au coin d'une rue, une putain surgit de l'embrasure d'une porte. Elle tenait au-dessus de sa tête un parapluie déployé.

Elle lui dit :

— Tu viens, chéri ?

Il la regarda :

— Pourquoi faire ?

Elle fut assez surprise. Elle ne sut que reprendre :

— Tu viens, chéri ?

Il demanda de nouveau :

— Pourquoi faire ?

Elle continua sa mélopée :

— Pour toi ce ne sera que cent sous.

Il haussa les épaules :

— Cent sous, et vous ne pouvez même pas m'expliquer pourquoi faire.

Elle s'irritait :

— Fais pas l'idiot, beau brun. Cent sous c'est pas cher. Vise si je suis bien roulée.

Il l'examina :

— C'est le parapluie que je n'aime pas.

Il s'en fut. Elle criait :

— Salaud, goujat, mufle.

Il se sentait malade de désir. Helena. Helena. Helena.

Helena.

VI

Lorsque Lehameau entra dans la boutique de Mme Dutertre, celle-ci était en train de se soigner son rhume par la méthode sympathique. Elle couvrait donc d'une généreuse couche de sulfate de cuivre un mouchoir dont elle s'était abondamment servi. Après lui avoir expliqué le sens de cette opération, elle pria instamment son visiteur de ne point raconter ce qu'il avait vu, car elle craignait la raillerie des sots et l'incompréhension des Havrais.

— C'est du coup qu'on me prendrait pour une vieille folle. Sont-ils bêtes, croyez-vous ?

Lehameau acquiesça malgré son mépris pour les préoccupations occultisantes de sa vieille amie. Elle lui raconta des histoires de rebouteux qui raccommodaient les os brisés et de sorcières qui enchantaient le feu. Elle se porta garante de l'efficacité de certaines médecines. Il écoutait agacé. Finalement Mme Dutertre se lassa et Lehameau se mit à feuilleter des bouquins. De temps à autre il s'interrompait pour fixer le silence, mais il n'entendait tourner aucune page du vieux Luther. M. Frédéric ne semblait pas être là.

Il reprit la conversation avec du quotidien.

— Alors vous avez vu, nous avons bombardé Athènes. J'espère qu'on aura démoli le Parthénon.

Il ricana :

— Nous les défenseurs de la civilisation.

— Bah, dit Mme Dutertre, ça ne leur fera pas de mal aux Grecs deux ou trois coups de canon. Qu'est-ce que c'est que ce roi Constantin, un germanophile.

— N'empêche que si l'on a démoli le Parthénon, c'est désagréable pour la cause des Alliés.

— Mais qu'est-ce qui vous dit qu'on l'a démoli ?

— Rien. Je ne faisais qu'exprimer une crainte.

Il se tut et son regard sembla chercher un point à l'infini.

— Vous m'avez l'air bizarre aujourd'hui monsieur Lehameau, dit Mme Dutertre.

— Moi ? Non.

— Si si.

— Sûrement pas. Pas de raison.

— Si si, vous n'êtes pas comme d'habitude, il y a quelque chose de changé en vous. Vous savez que je suis une intuitive, moi, une intuitive.

— Oh l'intuition.

— Si si, vous avez l'air bizarre aujourd'hui. Vous devez être amoureux, monsieur Lehameau.

— Qui ? Moi ? Mais c'est idiot, madame Dutertre.

Laquelle chut quasiment de son siège sous la violence de l'outrage.

— Oh pardon, dit Lehameau, je vous fais toutes mes excuses madame Dutertre, je voulais simplement dire que je trouve cette idée excessivement étrange.

— La violence de votre réaction prouve que j'ai entièrement raison ; vous êtes amoureux, monsieur Lehameau. C'est de la psychologie élémentaire.

— Ça alors, dit Lehameau, ça alors, je m'en fous de la psychologie.

— Vous pouvez vous en fiche, comme vous dites, ça ne m'empêche pas d'avoir raison.

Voyons voir, est-ce une blonde, est-ce une brune ? une jeune fille, une femme mariée ? hein ?

— Après tout, même si j'étais amoureux madame Dutertre, qu'est-ce que cela pourrait bien vous faire ? Et en quoi cela vous regarderait-il ?

— Mais c'est que j'ai de l'affection pour vous, monsieur Lehameau.

— Hm vous pouvez m'appeler Bernard pendant que vous y êtes.

— Vous êtes spirituel quand vous le voulez bien, monsieur Lehameau, Bernard Lehameau.

— Je suis Français. Tous les Français sont spirituels.

Il ricana, comme le traître du Grand Théâtre Municipal.

— Et où voulez-vous en venir, ajouta-t-il. Vous voulez me vendre un philtre d'amour ?

— Philtre d'amour, dit Mme Dutertre, c'est un pléonasme : un philtre est toujours destiné à inspirer l'amour. Je vais donc vous préparer un philtre : j'y mettrai le rémora, l'hippomane et la pierre astroïte.

Elle rit :

— Et la cantharide aussi naturellement.

Elle rit :

— Mais pourquoi désirez-vous un philtre ? Elle ne vous aime pas ?

— Je vous en prie, madame Dutertre, ne plaisantez pas, c'est très grave.

— Elle ne vous aime pas ?

— Je regrette, madame Dutertre, mais je m'obstinerai dans mon silence.

— J'avais, dit Mme Dutertre, un client qui me racontait toutes ses aventures féminines. Et il en avait.

— Je ne suis pas de ceux-là, dit Lehameau.

— Je lui disais : mais c'est toujours la même chose vos histoires de femme, une femme, c'est toujours une femme quoi. Et lui il me disait : non, madame Dutertre, ce n'est jamais la même chose.

— Ah, il vous disait cela.

Il sortit sa montre et en examina le cadran en silence, comme un coquillage singulier, une nacre extraordinaire.

— Je vais aller faire un tour, maintenant. Au revoir, madame Dutertre. A propos, ce M. Frédéric il n'est pas dans votre arrière-boutique en ce moment ?

— Non, non. Il ne vient qu'après son bureau. Il me demande toujours de vos nouvelles.

— Je ne l'ai jamais vu ! Est-ce qu'il a de l'affection pour moi ?

— Ah, ah, ah, monsieur Lehameau, oh oh, dit Mme Dutertre.

Dans la rue, Lehameau se retrouva la tête un peu vide. Il marcha quelque temps peu conscient de son existence, puis jugea bon de se distraire d'une de ses distractions favorites.

Un tramway l'emmena jusqu'à l'Eure, d'où il revint par les quais et les quartiers ouvriers, une longue promenade à travers un monde de travail et d'horreur. De toute part s'agitaient des machines et des esclaves, l'activité semblait démesurée, abominable. Partout l'espace, haletant et suant, gros de désespoir et de vice, paraissait prêt à sortir de sa cuisse des monstres et des catastrophes. Et le temps n'engendrait que la honte. De rares et lourdes gouttes d'eau se mirent à tomber crevant l'empâtement du ciel et de leur éclatement sur le sol ne germaient que des ombres perverses et accablées.

Lehameau se gavait de mépris et d'horreur et son âme trépignait exaltée. Il entretenait avec délices sa répulsion absolue et fanatique pour la plèbe du port et des usines, pour la racaille en casquette, les prolétaires bourreaux de leurs enfants, insolents avec les honnêtes gens, ivrognes, brutaux, séditieux et sales. Certains quartiers de la ville avec leurs taudis pavoisés de linges et grouillants de mioches, avec leurs bordels et leurs estaminets, représentaient pour lui sur terre l'image la plus proche de l'enfer, à supposer qu'existât ce lieu. Il développait ainsi en son cœur la haine et l'écœurement que provoquait en lui le spectacle de cette race maudite, lie infecte que les désordres de la guerre menaçaient de faire monter à la surface.

Sans parler que parmi ces maudits beaucoup étaient des pacifistes.

Lehameau s'abrita contre un hangar pour laisser passer le grain, les cargos peinaient sur l'eau lente des bassins, et les marchandises reposaient sur la pierre luisante des quais, et il arriva dans Saint-François avec la nuit, lorsque la pluie eut cessé. Comme escargots après l'orage, des humains de diverses espèces se montrèrent : les sous-maîtresses se collèrent devant leur porte pour héler les passants ; des représentants des divers continents apparaissaient çà et là, leçon gratuite d'ethnographie, et des représentantes pour, payante, la vénérologie. Le long du Grand Quai étaient amarrés les bateaux à roues qui traversaient l'estuaire, et le courrier de Southampton. Lehameau s'arrêta là, regardant distraitement l'inexplicable activité de deux ou trois marins ou stewards abandonnés sur le pont. Il nota soigneusement le lieu exact du débarquement, sa situation, ses approches, puisqu'il pensait à Helena.

C'était là.

C'était là que, pour la première fois, elle avait touché le sol de France.

La France. Helena.

Helena. Helena.

Helena.

Continuant son chemin, il arriva devant le Kursaal. Le Kursaal était un cinéma. Il entra.

— La séance va bientôt finir, lui dit la caissière, et c'est complet. Ce n'est pas complet, c'est comble. Vous serez obligé de rester debout.

— Ça m'est égal, dit Lehameau.

Il dut en effet rester debout. C'est à peine s'il pouvait voir la toile à travers l'épaisse masse de fumée qui flottait au-dessus des spectateurs, lesquels étaient pour une moitié militaires de l'armée britannique et pour l'autre moitié gens du plus bas peuple, manœuvres étrangers et petits voyous. Il y avait aussi quelques putains venues là plus pour se changer les idées que pour lever un type, ceci étant d'une désolante facilité, pas besoin de dépenser vingt sous pour cela. Une odeur compacte enveloppait tout ce bas monde qui, au moment où Lehameau entra, palpitait aux aventures d'un coboua (ou cobouille, on ne savait pas très bien). D'ailleurs sans l'intervention d'une partie de la salle qui lui cria véhémentement « fais gaffe », le dit coboua (ou cobouille) eût trépassé du fait d'une traîtrise. L'exécution du vilain provoqua des hurlements immenses qui bouleversèrent la belle ordonnance des zones de fumée au-dessus des têtes. On alluma pendant cinq minutes, la fumée se recompactisa et la pianiste reprit haleine. Ensuite on réteignit, c'était un Charlot, Charlot à la Banque, le public poussa des cris de plaisir, et quand Charlot apparut ce ne fut qu'un pâmement. Les Anglais riaient plus fort que les autres, ce qui étonnait toujours la population autochtone, à cause de la réputation qu'ils avaient depuis Le *Tour du Monde en 80 jours* et la Guerre des Boers de ne pas être des types rigolos.

Tandis que les troupiers khaki s'agrippaient à un tram en gueulant des chansons toujours sans doute pour heurter les préjugés des indigènes relatifs aux brumes de la Tamise, Lehameau s'assit dans un des cafés de la rue de Paris et but avec dignité un picon-citron, tout en observant discrètement mais avec intérêt deux officiers anglais aux prises avec deux poules avides de guinées, ou à la rigueur de chlins. La victoire des poules sur l'aristocratie britannique fut totale, lui sembla-t-il. L'une d'elles n'était autre que la Grande sœur Madeleine, mais elle fit semblant de ne pas le reconnaître.

VII

Alcide, coiffeur, seul en son salon de la rue du Champ-de-foire, laissait pendre au bout de son bras un numéro du *Rire Rouge* qu'il venait de parcourir pour la quinzième fois. Lippe pendante, il regardait distraitement loin devant lui dans une glace, sa propre image qui se reflétait multipliée dans un miroir antagoniste. Il apercevait sans trouble apparent ces Alcides indéfiniment répétés, mais qui n'atténuaient pas sa solitude ; il croyait ne penser à rien. Mais lorsque le carillon se heurta sonore à l'entrée d'un client, il constata qu'il se remémorait avec horreur les divers incidents qui marquèrent pour lui la journée terrible et fameuse dans les annales de la ville du Havre, lorsque brûlèrent les Grandes Galeries Normandes il y avait maintenant de cela treize ans.

Or le client qui venait d'entrer s'appelait

Lehameau ; était Lehameau. Alcide en fut gêné. Il en revint à la considération de temps plus proches.

— Je me suis étonné, dit-il, de ne pas vous voir ce matin, monsieur Lehameau. Je me suis dit de deux choses l'une, ou bien monsieur Lehameau est souffrant, ou bien il attend ce soir pour se faire raser parce qu'il ira dîner en ville.

— Un petit dîner de famille, dit Lehameau, les cinquante ans de mon frère. Il tient à célébrer ses anniversaires, il prétend que comme cela il ne se sent pas vieillir. Il a invité quelques collègues. Evidemment, on pourrait penser que l'heure n'est pas aux banquets.

Alcide se mit à savonner, avec art et vigueur.

— Moi, dit-il, j'attends le jour de la victoire pour m'offrir un sacré gueuleton. Pas avant. Mais je le vois approcher, ce sacré gueuleton, je le vois approcher. M. Poussinet, il est bien renseigné M. Poussinet, M. Poussinet m'a confié qu'on profiterait de ce que les Allemands sont en train de s'amuser en Roumanie pour leur dégringoler sur le poil, mais alors, quelque chose de sérieux.

— Ne vous faites pas trop d'illusions, dit Lehameau à travers la mousse.

— M. Poussinet est très renseigné, dit Alcide.

— Un imbécile, dit Lehameau.

Alcide promenait son rasoir sur un cuir.

— Entre nous, monsieur Alcide, continua Lehameau, je vais vous dire une bonne chose : on en a au moins pour tout l'hiver.

— Oh, monsieur Lehameau, vous exagérez sûrement.

— Vous verrez. Et je vais vous dire encore autre chose : si on pouvait s'amuser comme les Allemands s'amusent en Roumanie, vous attendriez moins longtemps votre sacré gueuleton.

Alcide trancha subséquemment les poils faciaux en silence, mais, lorsqu'il versa l'eau d'un petit broc dans la cuvette, dit :

— Vous avez tort, monsieur Lehameau, vous avez tort de dire des choses comme ça. Qu'est-ce qu'on penserait de vous si l'on ne savait pas que vous êtes un de nos héros de la guerre ?

— M'en fous, dit Lehameau en barbotant, m'en fous de ce qu'on pense de moi. L'important pour moi, c'est de ne pas me laisser bourrer le crâne.

Malgré tout, Alcide le pomponna, lui redressa la raie, lui tailla la moustache, lui brossa la veste. Lehameau se regarda, s'approuva, s'en fut. Il payait au mois. Dans la rue, il se souriait à lui-même, mais non parce qu'il pensait aux améliorations cosmétiques qu'il venait de subir. Il se disait en lui-même : et qu'est-ce qu'il dirait alors, ce pauvre idiot, s'il savait ce que je pense réellement. Cela le mettait de belle humeur. Il appréciait aussi le petit temps sec et froid qu'il s'était mis à faire et dont le climat havrais est peu coutumier. Il reniflait tout joyeux le vent d'est. Il ne sentait plus sa jambe roide. Il s'arrêta un petit quart d'heure au café de la Marine pour déglutir son byrrh à l'eau. Le patron vint lui serrer la main. Ils échangèrent des propos peu compromettants et principalement météorologiques. Lehameau tenait sa langue, bénin par excès de supérioté.

Lorsqu'il arriva chez son frère Sénateur, les invités se trouvaient déjà là, Nantout, Sacqueville, Duplanchet et leurs dames, et une fille, Mlle Duplanchet. Les fils étaient à la guerre. Les hommes menaient grand train autour d'absinthes. On parlait de l'avenir du port du

Havre, du chemin de fer de la Seine-Maritime et de la perfidie des Rouennais qui faisaient tout pour empêcher le dit chemin de fer d'être construit. Après les saluts d'usage, Bernard se joignit à la discussion avec fougue. Ce n'était d'ailleurs pas une discussion, car tout le monde s'accordait sur le bien fondé des revendications havraises, mais plutôt une série d'invectives contre l'oppression du chef-lieu de département.

L'élément mâle et l'élément femelle ne se conjuguèrent que pour se rendre à table, autour de laquelle ils se rangèrent en ordre alterné. Bernard était assis entre Mlle Duplanchet et Mme Sacqueville, laquelle avait de la bouteille. Tandis que la conversation générale se portait sur les empoisonnements provoqués par l'absorption d'huîtres, lui, silencieux, noyait ces malheureux lamellibranches sous un flot de vinaigre parfumé d'échalotes. Lorsqu'on se mit à parler guerre et poilus, lui, galant, se contenta d'épousseter sa voisine, la jeune, de propos badins. Au fromage, il ne dédaigna même pas de narrer le premier mois de la guerre, vu par un combattant, et d'expliquer sa blessure. Il était de brillante humeur, un peu alcoolisée même.

Au champagne, on porta des tostes : à Sénateur Lehameau et à ses cinquante ans ; à Charles Lehameau, son fils, combattant ; à la victoire de la France et de ses Alliés ; à la corde qui pendra Guillaume. On accompagna les liqueurs de bavardages divers et l'on glissa de la prise de Bucarest à la guerre des Balkans, de Constantinople au tsar, de l'exposition de 1900 à la Tour Eiffel, de la télégraphie sans fil à l'espionnage, de la cathédrale de Reims à un certain Vagné, au fait Mlle Duplanchet ne joue-t-elle pas du piano ? mais, au fait, Mme Duplanchet ne regarde-t-elle pas Bernard Lehameau d'un drôle d'air ? Il ne fait plus la cour à sa fille, mais est assis dans un coin à côté de sa belle-sœur. Ils parlent à voix basse.

— Vous avez l'air drôle Bernard aujourd'hui, dit Thérèse.

— Moi ? Pourquoi donc ? J'ai trop bu ?

— Mais non Bernard, ne plaisantez pas. Je vous trouve drôle en ce moment.

— Drôle ou bizarre ?

— Plutôt drôle. Singulier. Ecoutez-moi Bernard, est-ce que vous ne seriez pas amoureux ?

Bernard rit, tout doucement.

— Et vous-même Thérèse, est-ce que vous n'auriez pas beaucoup d'affection pour moi ?

— Je ne vous comprends pas, dit Thérèse qui rougit.

— Bien sûr vous ne pouvez pas comprendre, c'est une allusion à ce qu'on m'a déjà dit.

— Qui on ?

— Vous ne connaissez pas. En tout cas ne vous imaginez pas que je sois amoureux de la petite Duplanchet, la sotte, et un vrai paquet d'os. J'aime les belles filles bien en chair moi, dans votre genre, Thérèse. Ne croyez cependant pas que je sois amoureux de vous, ça ne se fait pas entre beau-frère et belle-sœur. Il est vrai que par les temps qui courent, avec tout ce désordre moral auquel nous assistons, cette dissociation de la famille d'origine démocratique, bah bah bah, après tout comme si sous les rois il n'y avait pas aussi des cocus. Je crois que je suis saoul.

— Je le crois aussi, dit Thérèse.

— Au fond, je ne suis pas bien sûr de n'être pas amoureux de vous Thérèse. D'ailleurs, j'aime toutes les femmes, à l'exception des vieilles et des trop maigres. Et des trop bêtes.

Il ajouta :

— Il n'en reste pas tellement.

Il se tourna vers Thérèse :

— Vous n'êtes pas bête vous, bien que vous preniez pour argent comptant tous les bobards que racontent la presse et votre franc-maçon de mari, vous voyez que je suis franc, enfin vous me plaisez rudement, en tant que belle-sœur bien entendu. L'autre, elle est Anglaise.

Il avala sa salive et reprit :

— Elle porte un uniforme. Elle est épatante.

Il souligna :

— Epatante.

Et continua :

— J'ai souvent l'occasion de la voir à la Base, mais je ne suis sorti que deux fois avec elle. C'est naturel, on ne peut pas les traîner par les rues, ces filles. Elle s'appelle Helena. Je la désire éperdument.

— Vous avez l'intention de l'épouser ?

— C'est dans les choses possibles. En tout cas en ce moment, la société est trop désaxée pour penser à ce sacrement, à cet ancien sacrement. Je trouve les temps exceptionnels pour un mariage. Après tout nous ne sommes même pas encore fiancés. Si j'ose dire. La personne en question est une grande jeune fille blonde, vierge je pense, au poil doux et luisant comme une génisse anglo-normande.

Il s'interrompit :

— Mais qu'est-ce que je suis en train de vous raconter là. Je crois que plus encore que les vins, c'est vous, Thérèse, qui m'avez fait perdre le bon sens. Tiens qu'est-ce qu'il nous veut celui-là ?

Sénateur s'avançait vers eux.

— Tu m'as l'air bien bavard, dit Sénateur, justement j'avais quelque chose à te demander.

— Bien. Bien bien.

— Thérèse, tu ne veux pas aller faire un peu la conversation avec ces dames ?

— Elle aime mieux la faire avec moi bien sûr, dit Bernard.

Thérèse se leva.

— Je vous laisse.

Bernard morose vit son frère s'asseoir à côté de lui.

— Dis donc, dit Sénateur, on m'a raconté une étrange histoire sur ton compte.

— Etait-ce une étrange histoire ou une drôle d'histoire ou une bizarre histoire ou une singulière histoire ?

— Tu as un peu trop bu, dit Sénateur.

— Je suis sûr que toi aussi tu as beaucoup d'affection pour moi.

— Allons ne t'attendris pas. Dis-moi simplement qu'est-ce que c'était que les deux enfants que tu as emmenés au cinéma l'autre dimanche ?

— Ce sont des enfants naturels à moi, des bâtards.

— Ne me raconte pas de bêtises.

— Qu'est-ce que tu veux que ce soit d'autre ?

— C'est bien ce que je me demande.

— Alors ?

— Dis-moi qui sont ces enfants.

— Ce sont des enfants qui ont beaucoup d'affection pour moi.

— Qu'est-ce que tu me racontes là.

— La pure vérité. Je les emmènerai encore au cinéma dimanche prochain.

— Mais enfin, où les as-tu pêchés ces mioches ? Il paraît qu'ils ont l'air de petits pauvres.

— Pas tellement, dit Bernard, pas tellement.

— Alors, qui est-ce ?

— Qu'est-ce que cela peut te faire ?

— Tu oublies que je suis le chef de la famille.

— Tu oublies que j'ai fait la guerre.

— Tu oublies que mon fils la fait.

— Gros malin.

— Tu n'es encore qu'un jeune homme.

— Un jeune homme, moi ? trente-trois ans et une blessure ? Tu vas fort. Mais enfin, je reconnais que tu es le chef de la famille, bien qu'étant franc-maçon tu ne sois pas qualifié pour être chef de famille. Enfin voilà, ces enfants, eh bien franchement et sincèrement, je ne sais pas qu'est-ce que c'est que ces enfants. Je les ai rencontrés un jour, je les ai emmenés un autre jour, je les conduirai encore dimanche au cinéma, voilà.

Sénateur le regarda d'un air très grave.

— La guerre a été pour toi un grand choc moral.

— Ça c'est bien vrai, répondit Lehameau qui commençait à avoir très envie de dormir.

Il partit avec les autres invités. Sénateur bâille. Thérèse lui demande :

— Et alors qu'est-ce qu'il t'a dit, cet imbécile ?

VIII

Dès qu'elle entendit la porte du jardin s'ouvrir, Lalie se précipita dehors en hurlant :

— Ah, tu parles alors, quelle bande de salauds !

Puis s'arrêta pile en constatant que son Adolf suisse était accompagné d'un personnage correctement vêtu, grand et distingué, bref un monsieur. Le rouge de la honte vint teinter la blanche carnation de la grasse Lalie, qui ne sut trouver rien d'autre à dire que : ah oh ah. Son Adolf fit mine de n'avoir rien entendu et le monsieur, qui avait l'air bien élevé, parut également avoir été atteint de surdité passagère au moment de son entrée.

— Lalie, dit Adolf, voilà un compatriote, M. Frédéric. Monsieur Frédéric, ça c'est Mme Geifer.

M. Frédéric s'inclina galamment devant Lalie qui tortilla du croupion pour montrer qu'elle aussi avait des bonnes manières.

— M. Frédéric dîne avec nous, dit Adolf. Sans cérémonial. A la bonne fortune du pot.

— Très heureuse, monsieur, dit Lalie avec une bienveillante désinvolture et, faisant demi-tour, elle montra le chemin de la villa en traînant ses savates.

Lalie appartenait à la branche pauvre de la famille Lehameau. Elle avait à peine eu de papa, et sa mère, une épaisse et paresseuse bonne femme, l'avait élevée dans la crasse et le négleugis. Bernard et Sénateur l'appelaient la cartomancienne, d'abord parce qu'elle savait tirer les cartes et se les tirait à longueur de journées, et ensuite parce qu'elle s'habillait de couleurs voyantes et sales et s'entourait de chats puants. Lorsque sa fille fut nubile, elle s'empressa de la marier au premier quidam qui lui tomba entre les pattes, en l'occurence le jeune Adolf Geifer, un petit Suisse dans le coton. Puis elle mourut d'un empâtement des forces vitales.

Lalie et son Adolf la sautèrent pendant quelques années, puis finalement la guerre vint et alors Geifer se mit à gagner des sommes considérables avec une aisance qu'il attribuait à son génie commercial jusqu'ici méconnu. Il trafiquait de tout, achetait des wagons d'ail et des péniches de lait condensé, revendait des trains d'oignons et des cargos de crème de gruyère. Enfin, ils purent jouir de la belle vie. Ils achetèrent une villa avec un grand jardin qu'ils peuplèrent de roquets et de matous, d'une chèvre et d'un paon. Ils achetèrent des bijoux, des fourrures, des pendules, un chapeau haut de forme et de la verroterie. Tout ça naturellement, ils ne le revendirent pas. C'était pour eux, à conserver.

Enfin Lalie put se revancher de ses cousins fonctionnaires autrefois si méprisants. C'était elle la plus riche maintenant. Elle chargeait de bouchons de carafe les deux fois cinq doigts de ses mains et trébuchait sous le poids de peaux de bête qui lui descendaient jusque sur les talons lesquels toutefois restaient éculés, ce qui faisait dire à Bernard :

— La pauvre Lalie, ce n'est pas à son âge qu'on apprend que ça existe les cordonniers,

et Sénateur faisait :

— Ah ah.

Et Bernard ajoutait :

— Elle est née avec du noir sous les ongles, elle en gardera toute sa vie.

Bien que Lalie triomphât sur le terrain économique et financier, il ne lui échappait cependant point que les deux frères conservaient à son égard un fond de dédain. Et pourquoi ? parce que son Adolf était né hors frontières. Contre ça, il n'y avait rien à faire ; fallait avaler cette couleuvre ; en tout cas, l'était patriote son Adolf, et il croyait dans la victoire : y avait des prétendus Français dont on n'aurait pas pu en dire autant. Quant à insinuer que son Adolf aurait pu s'engager dans la Légion, laissez-moi rire : l'rendait bien plus de services à la France en lui important des marchandises, son Adolf.

Lequel Geifer, laissant sans s'excuser M. Frédéric en tête à tête avec sa femme, alla faire un petit pipi, puis se précipita vers la cuisine où s'étiolait une orpheline hébétée et non payée. Il voulait, un jour, en faire une cuisinière, car il avait des idées, lui, en gastronomie. Chaque soir, il venait faire un tour au fourneau, jetait du poivre par-ci, du râpé par-là, et s'en retournait en se frottant les mains, fier. Ce jour-là, il fallait soigner un invité. Il s'affaira. Pas mauvaise cette eau de vaisselle, mais un peu fade. Faut la corser. Tiens voilà justement le camembert en plâtre qu'on n'a pas pu mâcher hier soir. Ma fille, vous allez me l'incorporer au potage. La bidoche faut la larder de clous de girofles et pour que ça représente mieux on va l'entourer de mou revenu dans de l'huile. Comme entremets, des croûtons de pain enduits de cassonnade et trempés dans le lait qui a tourné le matin. Fameux. Adolf exhorte l'orpheline à se signaler, refait un petit pipi d'émotion et retrouve sa femme dissertant gravement sur les différentes espèces de minets.

— Ce sera sans façons, dit Geifer. C'est la guerre, hein.

— Bien sûr, dit M. Frédéric.

Lalie avait quelque chose qui lui restait sur l'estomac, moralement s'entend, et qu'elle n'avait pas encore confié à son Adolf. Elle ne pouvait tout de même pas raconter des histoires de famille devant un étranger, ah oui, un étranger. Cependant l'occasion s'en présenta tout naturellement plus tard dans la soirée, tandis que ce pauvre M. Frédéric essayait de faire couler le plâtre et le mou avec du tord-boyaux. (un eaude-vie très fort)

— Alors, vous n'avez pas de parents ici, demandait M. Frédéric en fermant les yeux de douleur.

— C'est fort hein, dit Geifer. Non, pas de parents ici. Mais ma femme en a.

— Madame est du Havre ?

— Je pense bien, dit Lalie. Oui, nous avons de la famille ici.

— Ce sont des gens bien, dit Geifer, des fonctionnaires.

— Oui, dit Lalie.

M. Frédéric comprit que le sujet ne provoquait pas un grand enthousiasme. Un silence amer s'établit et l'on n'entendit plus que le gargouillis des digestions.

Soudain, Lalie éclata. Annulant la présence de l'invité, elle interpella son Adolf :

— Oui, eh bien ma famille, sais-tu ce qu'elle a fait, ma famille ? Eh bien ma famille, ils ont gueuletonné hier et ils ne nous ont pas invités. C'était les cinquante ans de Sénateur, ils ont fêté ça, ils ont invité les Sacqueville et les Duplanchet, mais nous, nous on peut courir. C'est par Amélie que je le sais, je l'ai rencontrée ce matin au marché. Voilà comment elle me traite ma famille, des cousins germains encore, ma seule famille. C'est tonteux, c'est tonteux.

Elle se mit à sangloter. Geifer se précipita :

— Ma Lalie, voyons ma Lalie, calme-toi mon chouchou, calme-toi ma grosse fifille, faut pas t'énerver comme ça ma petite crotte, foyons foyons, vaut bas bleurer, mon gras tas de crème.

Elle se moucha.

— Ça y est, dit-elle. C'est passé. Mais fallait que je te dise ça, fallait que ça sorte.

Elle se tourna vers l'invité.

— Excusez-moi, monsieur. C'est des histoires de famille. Ça ne doit pas vous intéresser beaucoup.

— La famille d'un ami, répondit-il solennellement, vous intéresse quand elle intéresse cet ami. Et c'est pour moi un ami très cher mon ami Geifer.

Cette déclaration replongea Lalie dans des humidités sentimentales. Elle sanglotait. Son Adolf essaya d'éponger sa douleur avec des petits mots doux ; puis il ne vit d'autre moyen qu'un verre de tord-boyaux, qu'elle avala. Le feu stomacal dessécha l'humeur lacrymale. Après quelques hoquets, Lalie, s'adressant de nouveau à M. Frédéric, dit :

— Je vais vous expliquer. monsieur. Mes cousins, ils se croient sortis de la cuisse de Jupiter. J'étais pauvre, moi monsieur, quand j'étais jeune. Je n'ai pas honte de le dire. Mon Adolf il a gagné ses sous à la sueur de son front. Eux, mes cousins, ils ont toujours vécu dans l'aisance, je le reconnais, mais ils croient que ça leur donne le droit de me traiter comme une rien-du-tout. Ils n'osent pas me montrer à leurs amis. Ils n'osent pas montrer mon Adolf parce qu'il est étranger. Ils ont honte de nous. Seulement, il y a une chose maintenant, c'est que les plus riches, c'est nous. Alors en plus ils sont jaloux. Ils sont envieux. Ils enragent. Qu'est-ce qu'ils sont au fond ? Des fonctionnaires. Qu'est-ce qu'il est mon Adolf ? Un négociant. Alors au bout du compte, on les emmerde, vous me comprenez, monsieur, on les emmerde, les fonctionnaires.

— Je comprends, dit M. Frédéric avec calme. Je comprends. Et quelle sorte de fonctionnaire sont-ils ?

— Sénateur est contrôleur des contributions indirectes. Bernard, lui, avant la guerre, il était je ne sais quoi à la Sous-Préfecture, maintenant, il est en rapport avec les Anglais.

— Les Anglais ? demanda M. Frédéric.

— On ne sait pas au juste ce qu'il fait, dit Geifer. Il a un poste confidentiel. Je n'ai jamais voulu lui poser trop de questions. C'est la guerre hein, alors vous me comprenez.

— Mais non, s'écria Lalie, tu n'as pas besoin d'avoir peur de passer pour un espion, tu es plus patriote qu'eux.

— Vraiment ? dit M. Frédéric.

— C'est surtout de Bernard que je cause, dit Lalie. Je ne dis pas qu'il ne soit pas patriote, je dis qu'il est pessimiste. Il voit tout en noir. Il y a des fois où on se demande s'il ne croit pas que les Allemands seront vainqueurs.

— Pas possible, dit M. Frédéric.

— C'est tonteux, dit Lalie.   *honteux*

— Et ils sont mariés vos cousins, demanda M. Frédéric, ils ont des enfants ?

— J'avais oublié ça, beugla Lalie. Comment ! On envoie des paquets à son fils à Sénateur et il nous juge même pas dignes de fêter ses cinquante ans. Ça c'est trop fort, ah, le salaud ! Il en a fait exprès, il a voulu nous humilier.

Elle repartit à travers les larmes vers un nouveau verre de tord-boyaux. Puis elle revint à la question posée en s'essuyant un œil.

— Ça, dit-elle, c'est une histoire terrible. Et M. Frédéric dut subir le récit détaillé

circonstancié minutieux et anecdoté de la ca-
tastrophe du 21 février 1903 lorsque flam-
bèrent les Grandes Galeries Normandes ; comment Sénateur et Bernard en devinrent à la
fois et veufs et orphelins ; comment Lalie faillit
justement y aller avec sa mère ce jour-là et
comment elle n'y alla justement pas conservant
ainsi une Lalie pour son Adolf. Cette narra-
tion remit la narratrice de bonne humeur, et
lui fit un tel plaisir qu'elle la réitéra par
trois fois, et dans les mêmes termes pour ne
pas risquer d'en diminuer l'agrément.

M. Frédéric s'intéressait moins à l'histoire
ancienne qu'à l'histoire contemporaine, mais
son personnage s'en illuminait de certains re-
flets, à la réflexion, tandis que, revenant seul
dans la nuit, sa haute silhouette se dessinait
sur le trottoir, décalquée par le clair de lune.

IX

La mer était la même qu'au premier jour, et le temps d'hiver, d'automne plutôt selon les astronomes, d'un automne très avancé, très sclérosé, perclus et liquéfié à la fois. Il pleuvait bien doucement, mais méthodiquement, industriellement, et courant du rivage à l'horizon le vent gonflait des vagues que crevaient finalement les galets. Lehameau tenait dans ses mains les mains d'Helena et sous la table leurs jambes étaient entrecroisées. Lehameau tenait dans ses mains les mains d'Helena et lui déclarait son amour. Il lui déclarait son amour en termes contenus, mais gonflés par le désir et sous la table leurs jambes étaient entrecroisées. Le désir l'étranglait, lui vidait la capsule cranienne, lui pétrissait l'estomac comme une faim, lui contractait les entrailles et lui meurtrissait les reins. La mer était la même qu'au premier jour, Helena toujours plus belle et il sentait à travers deux épaisseurs de matériaux tissés, le drap de son pantalon et la laine de ses bas, sa chair. De sa chair, il ne pressait entre ses mains que celle de ses, qu'elle avait maigres et osseuses comme un garçon. Mais du mollet il remontait pensivement à la cuisse et retrouvant l'ampleur des hanches et la fermeté probable des fesses, il se tut.

Helena dégagea ses jambes et retira ses mains d'entre les siennes et levant les yeux regarda encore cet homme qui semblait prendre l'amour si au sérieux, l'amour : pas même une « affaire » : un fleurte, et qui semblait vouloir transformer une promenade sentimentale en quelque chose de tragique et de psychologique. Cet homme n'était après tout qu'un élément du paysage, paysage de voyage, paysage de guerre, et cependant un élément suffisamment convaincant pour qu'elle pût perdre sa virginité, un frenchy bien sûr, seulement un frenchy, mais tout de même un homme qui prenait l'amour au sérieux, qui prenait au sérieux l'amour.

Elle frissonna.

Il lui parut urgent de causer, de causer d'une causerie convenue.

— Captain K. prétend que l'Area Controller songerait à me déplacer. Elle n'ignore rien de mes sorties — avec vous.

— Bah, dit Lehameau, j'arrangerai cela. D'ailleurs, que faites-vous de mal ? Rien. Encore rien.

— Encore ?

— Je plaisantais, dit Lehameau.

Il lui reprit la main et la caressa, puis il lui vint l'idée de l'embrasser, préliminaire facile mais qu'il n'était pas aisé de pratiquer maintenant, ainsi séparés par la largeur d'une table de café.

Il examina l'horizon déjà nocturne et dit, ce qui était d'ailleurs exact :

— Il ne pleut plus,

et proposa :

— Si nous sortions,

et ils sortirent.

Sur le boulevard noir de pluie étalée, sous le ciel désétoilé, boueux de nuages, ils se trouvèrent seuls. Il faisait froid. Il faisait humide. Le phare tournant tournait. Vent et mer continuaient à se rompre. Lehameau et Miss Weeds s'arrêtèrent pour déchiffrer l'horizon. Une lanterne dégringola du haut en bas du boulevard. C'était un tramway, une ferraille nocturne. Lehameau saisit Miss Weeds par les épaules et l'embrassa. Ce n'était pas la première fois qu'un homme l'embrassait, qu'est-ce que ça prouvait, elle s'étonnait simplement que le frenchy fût si modeste, se contentant d'écraser ses lèvres contre les siennes.

Elle entr'ouvrit la bouche.

La main de Lehameau descendait vers ses reins. Elle se dégagea. Il fermait les yeux, il s'appuya sur la balustrade qui séparait le boulevard de la plage, se pencha vers les galets comme un orateur vers une foule. Il n'avait pas embrassé de femme depuis treize ans. Il tremblait. Helena le regarda, elle le regardait avec crainte. Elle s'éloigna de lui et se mit à marcher lentement. Lehameau la suivit et quelques pas plus loin la rejoignit et lui prit le bras et ils allèrent ainsi en silence.

Sur le terre-plein de la digue ils s'arrêtèrent et se séparèrent ; ils devaient se revoir le lendemain. Ils ne s'embrassèrent pas, mais se serrèrent la main, poliment. Lehameau tenta vaguement d'allonger le temps de cette poignée de main, de retenir dans sa main la main d'Helena, mais elle s'échappa comme un ruisseau de mercure.

Il se retrouva seul, et bien seul, seul contre la nuit, trébuchant. Du vide qui l'emplissait, il essaya de faire surgir cette estimation, qu'il n'avait pas encore couché avec elle, Helena, mais cette appréciation n'était pas sincère. Il s'abîmait dans le goût de ce baiser, revivifiant des souvenirs plus anciens, beaucoup plus anciens. Seule sa dignité l'empêchait de sangloter. Tout de même, il se moucha. Il aurait voulu avoir la compagnie d'un enfant, d'Annette par exemple ; il la presserait contre lui et ils pleureraient ensemble. Mais alors il revint à sa pensée première, il n'avait pas encore couché avec elle, Helena. Il revint à sa pensée première et la sentit sincère et il se mit à la ruminer avec rage. Un jour, un jour, il l'emmènerait chez lui ou dans une chambre d'hôtel, et il coucherait avec elle, il coucherait, coucherait coucherait coucherait, il coucherait avec elle, Helena.

Comme un animal docile qui cherche à plaire à son maître, ses pas l'avaient conduit jusque devant la boutique de Mme Dutertre. Il entra. Il avait l'air hébété, il avait l'aspect d'un épileptique qui va choir sur le sol disloqué par son mal. Mais Mme Dutertre ne s'en aperçut point.

— Ah les bandits, s'écria-t-elle dès qu'elle le vit, ah les brutes, s'écria-t-elle, ah les salauds, ils m'ont tué mon chat.

— Qui donc ? demanda Lehameau que ces exécrations n'avaient point tiré hors de sa rumination.

Tandis qu'elle se déshabillerait il se détournerait par pudeur et il la retrouverait dans son lit, peut-être nue.

Mme Dutertre lui répondit :

— Qui ? Qui voulez-vous que ça soit ? Mes voisins, ces sales Havrais, quelle racaille. Je l'ai trouvé raide mort, les reins cassés, la pauvre bête.

— Un chien peut-être, suggéra Lehameau qui se trouvait encore très loin.

— Et qu'est-ce qu'ils ont besoin d'avoir des chiens, ces sauvages ? Ils ont des chiens pour tuer mes chats, c'est tout. Ah ! monsieur Lehameau, ce monde pue d'horreur. Ah ! monsieur Lehameau, la vilenie de mes contemporains. Ah ! monsieur Lehameau, la tristesse de cette existence. Et ce n'est pas la nature qui est responsable, monsieur Lehameau, car la nature est bonne, ce n'est pas la nature qui est responsable, ce sont les hommes. Les hommes, ils sont indécrottables. Les idées les plus belles, les pensées les plus généreuses, qu'est-ce qu'ils en font ? un gâchis sanglant ou de la cendre. Voyez ce qu'ils ont fait du Christ, ils l'ont crucifié avec ses perles, les pourceaux. Et Socrate ? qu'est-ce que l'humanité en a fait de Socrate, elle l'a empoisonné, comme une mégère qui veut se débarrasser d'un époux. Et Jeanne d'Arc ? on l'a brûlée. Et Jaurès ? on l'a assassiné.

— Ça c'était pain bénit, dit Lehameau.

— Et pour revenir aux Havrais, continua Mme Dutertre sans se préoccuper de l'interruption, regardez-les tous : les bourgeois, des cochons avides et gloutons, et d'un égoïsme, pouah trois fois pouah ; les ouvriers, des brutes, des âmes mortes, des moutons muets ou des aigris, des bornés, aveuglés par leur haine des riches. Ah, monsieur Lehameau, je me sens en exil. Qu'est-ce que j'ai à faire avec toutes ces affreuses gens ? Il n'y a que vous qui me soyez sympathique, monsieur Lehameau, très sympathique, il n'y a que vous qui puissiez me comprendre.

M. Frédéric, étant parvenu au bout de sa

dose quotidienne de Luther, émergea de l'arrière-boutique et fit son apparition.

Mme Dutertre se tut et Lehameau n'entendit plus que le ronronnement du gaz. Dehors, dans la nuit, toujours rares se déplaçaient des ombres. Le temps s'effondrait en poussière sur la tête des chefs-d'œuvre et des folios oubliés, indifféremment, ce temps qui, sciemment ou non, mais patiemment, les avait tous trois amenés jusqu'ici, l'une prenant son départ à Lyon Rhône avant que le second ne naquît à Dresde en Saxe et le troisième avec son handicap les rejoignant ici-même à l'intersection de leurs biographies. Pour chacun ce temps avait débuté par quelque apparence anecdotique qu'ils auraient pu mutuellement se raconter s'ils avaient entrepris une conversation sur ce sujet, mon plus ancien souvenir, mais ils demeurèrent là tous trois muets pendant quelques secondes, mâchant péniblement cette durée qui leur collait aux dents comme du caramel, sans pouvoir l'avaler.

— Je ne sais pas si vous connaissez M. Frédéric, dit Mme Dutertre à Lehameau. M. Frédéric, monsieur Lehameau est un de mes vieux et fidèles clients.

— Très honoré de faire la connaissance d'un

officier de cette admirable armée française, dit M. Frédéric.

— M. Frédéric est suisse, dit Mme Dutertre.

— 'chanté, dit Lehameau.

De nouveau l'on n'entendit plus que ronronner le gaz. M. Frédéric mit son pardessus. Lehameau le regardait chercher convulsivement une manche pendante derrière son dos ; il ne l'aida pas. Il dit :

— Je crois que je vais m'en aller aussi.

— Oui, dit Mme Dutertre, je vais fermer.

Les mots leur coulaient des lèvres, épais et lents. Puis le courant quasi desséché du discours roula quelques formules de politesse, arrondies et sonores comme des galets, et Lehameau se retrouva dans la rue froide et noire avec M. Frédéric marchant à côté de lui. Ainsi tel était M. Frédéric, un grand type maigre et blond avec un sourire servile et d'assez beaux yeux, tel était le discret lecteur de Luther. Il devait être protestant aussi, sans doute, et savoir l'allemand. Enfin il avait de la peine à joindre les deux bouts puisqu'il ne pouvait acheter ces bouquins. Lehameau conclut ainsi le signalement du Suisse et, malgré sa répulsion envers le protestantisme, séduit par le germanisme du personnage, lui en voulant toutefois de ses occultations passées et de sa gênante présence dans l'arrière-boutique : un rat ! il se mit en devoir de lui faire la conversation et prépara quelque phrase relative à la qualité actuelle de l'atmosphère.

Mais M. Frédéric :

— Quelle femme remarquable Mme Dutertre, dit-il. Quelle femme intelligente. Quelle personne de goût. Vous la connaissez depuis longtemps, monsieur Lamot ?

— Lehameau, dit Lehameau.

— Monsieur Lehameau ?

— Depuis qu'elle est installée ici. Depuis 1913, si je me souviens bien.

— N'est-ce pas que c'est une femme très remarquable, n'est-ce pas ?

— Certes. Certes.

— Elle a dû être très belle autrefois, n'est-ce pas ?

— Possible.

— Quel âge lui donnez-vous ?

— La soixantaine, non ?

— La cinquantaine ?

— Je ne sais pas.

— Ah, soupira M. Frédéric, quelle femme remarquable.

Lehameau se détourna légèrement pour regarder son compagnon, il était plus petit que lui, il devait le regarder de bas en haut, il le regarda parce qu'il s'étonnait qu'il fût si peu intelligent M. Frédéric et qu'il pût s'égarer ainsi. Après tout, ces propos tenaient sans doute plus à son manque de tact, un manque de tact suisse, un manque suisse de tact, qu'à sa bêtise. Il fallait encore lui donner une chance.

Quand il eut bu son byrrh, il partit alors sur sa piste à lui.

— Alors monsieur, vous qui êtes neutre, qu'est-ce que vous pensez des propositions de paix de l'Allemagne ?

Il posait la question à voix basse pour que les voisins, des oreilles ennemies peut-être, ne l'entendissent point.

M. Frédéric, tout bien considéré, jugea bonne l'audace et répondit à voix non moins basse :

— Les Alliés feraient bien de les accepter. Quel espoir ont-ils maintenant d'obtenir plus que ce que l'Allemagne leur propose ?

Lehameau dégusta cette réponse, sourit, se frotta les mains. On allait pouvoir causer.

parole – nourriture

109

X

Ce dimanche, Annette l'attendait devant la porte de la rue, appuyée contre la grille. Elle s'était lavée les mains et avait mis ses plus beaux atours, la petite coquette, et Lehameau l'apercevant de loin murmura, est-elle mignonne, et sur ses paupières inférieures vinrent flotter deux douces larmes que sécha le vent d'hiver.

— Bonjour Annette, dit Lehameau, comme tu es belle aujourd'hui.

— Je suis plus belle que les autres fois ?

— Oui, dit Lehameau. Certainement.

— Savez-vous monsieur Bernard pourquoi je suis plus belle que les autres fois ?

— Non, je ne sais pas, dit Lehameau.

— Vous devinez pas ?

— Non, dit Lehameau.

— C'est parce que je sors seule avec vous aujourd'hui, monsieur Bernard.

— Tu es une délicieuse petite fille, dit Lehameau.

Il lui tapota la joue ; puis brusquement :

— Où est Polo ? Il est malade ?

— Oh non, il est boy-scout, alors le jeudi et le dimanche on ne le voit plus. Il pense plus qu'à ça.

— C'est bien ça, dit Lehameau, c'est très bien ça.

— Oh non, ça le rend idiot, on peut plus jouer avec lui. Alors on s'en va !

— Oui, dit Lehameau, mais il faut peut-être que je dise à ta sœur que je t'emmène.

— C'est pas la peine, elle le sait, la dérangez pas.

Ils s'en furent. Elle était trop grande pour qu'il lui donnât la main, elle était trop petite pour qu'il lui donnât le bras. Ils s'en furent côte à côte.

A quelques mètres de l'arrêt du tram, elle se pendit à son bras et se serra contre lui.

— Monsieur Bernard.

— Qu'est-ce qu'il y a, ma petite ?

— Monsieur Bernard.

— Eh bien, mon enfant ?

111

— J'ai pas envie d'aller au cinéma aujourd'hui.

— Non ?

— Non.

— Et qu'est-ce que tu veux faire ?

— Je veux aller me promener, me promener dans la forêt, dans la forêt de Montgeon.

— C'est qu'il fait bien froid, dit Lehameau.

— J'aurai pas froid.

— Bien vrai ?

— Bien vrai.

— Je n'y vois pas d'inconvénient, dit Lehameau. Dans ce cas, on va prendre le tram dans l'autre sens.

— Oh chic, dit la petite fille.

Ils attendirent le tram un long temps, puis ils entrèrent dans la forêt. Ils marchèrent entre des arbres de silex et sous leurs pieds se fragmentaient jusqu'à la poussière des feuilles grises et métalliques. Il faisait bien froid.

— Tu n'as pas trop froid ? demanda Lehameau.

— Oh non. Quand je suis avec vous ça me tient chaud.

— C'est vrai, demanda Lehameau en riant. Moi aussi tu sais, ajouta-t-il alors très sérieux, quand tu es avec moi, je ne pense plus au froid, à la dureté des temps.

— Vous êtes malheureux, monsieur Bernard ?

— Moi ? Non. Pourquoi penses-tu que je puisse être malheureux ? Je ne suis pas malheureux. Je ne suis pas heureux, ce n'est pas la même chose. D'ailleurs je ne cherche pas à être heureux. Mais tu es encore trop petite, trop jeune, pour comprendre cela.

— Dites monsieur Bernard.

— Oui ?

— Vous l'avez revue la poule de l'autre dimanche, l'Anglaise qu'était au cinéma ?

— Mais oui. Bien sûr. Je la vois souvent. Elle travaille à la Base anglaise et je suis en rapports constants avec eux. Pourquoi me demandes-tu cela ?

— Vous l'aimez hein ?

— Mon enfant, dit Lehameau, je ne veux avoir avec toi que des conversations de ton âge.

— Mon âge ? Dans un petit peu plus d'un an, je pourrai me marier, c'est ma Grande sœur Madeleine qui m'a appris ça.

— Eh bien nous en reparlerons dans un petit peu plus d'un an.

— Dites monsieur Bernard, si j'avais un petit peu plus d'un an de plus, est-ce que vous m'épouseriez ?

Lehameau s'arrêta et bouleversa avec sa canne des strates de feuilles mortes, très mortes.

— Mon enfant, je viens de te dire que je ne voulais avoir avec toi que des conversations de ton âge.

— Moi je vous épouserais bien, dit Annette.

Lehameau ne répondit pas.

— Vous aimez l'autre hein ? dit Annette. L'Anglaise ?

Lehameau répondit lentement :

— Je ne sais pas si c'est cela que l'on appelle aimer.

— Qu'est-ce qu'on appelle aimer ? demanda vivement Annette.

— Qu'est-ce que tu en penses ? demanda Lehameau en souriant.

— Moi je pense tout le temps à vous, j'attends avec impatience la sortie du dimanche. Et je vous trouve beau. Très beau.

— Alors, je l'aime, murmura Lehameau.

Annette s'enfuit en courant. Lehameau, d'abord étonné, essaya ensuite de la rattraper, mais avec sa jambe un peu raide il n'allait pas bien vite. Tout de même il pouvait courir ;

c'était donc vrai que sa jambe guérissait ; le toubib lui avait dit, votre jambe guérira, mais dans ce temps-là la guerre sera finie, allez. La guerre n'était pas finie, bien sûr, il l'avait prévu, mais maintenant tout de même sa jambe allait mieux, beaucoup mieux : il pouvait courir. Mais il ne pouvait rattraper Annette.

Elle se retourna et le vit qui traînait sa pauvre guibole sur les feuilles mortes. Elle eut pitié de sa maladresse. Il lui parut un petit enfant pour lequel le jeu doit avoir des condescendances. Elle s'arrêta.

— Annette, Annette, qu'est-ce qu'il te prend ?

— Vous ne m'aimez pas, dit Annette.

— C'est très vilain de bouder.

— Vous ne m'aimez pas, dit Annette.

— Mon enfant, mon enfant, ma petite ma petite amie, murmura Lehameau très vite courant après ses mots avec maladresse, tu es ma petite amie ma petite amie.

Il la prit dans ses bras et la serra contre lui.

— Tu es tant de choses pour moi, tu ne peux pas savoir tout ce que tu es pour moi, tu es une flamme qui m'éclaire, une petite flamme dans la nuit, tu es quelque chose d'inouï, je ne saurais pas t'expliquer ça, une merveille : une merveille.

— C'est vrai tout ça ?

— Mais naturellement c'est vrai. Et moi aussi je pense tout le temps à toi.

— Ça c'est pas vrai, dit Annette. C'est pas possible. C'est pas possible puisque vous pensez aussi tout le temps à l'Anglaise.

— Ça n'empêche pas, affirma Lehameau avec l'assurance des grandes personnes qui veulent faire croire aux enfants que le Père Noël existe.

Annette sourit. Elle le regardait avec tendresse.

— D'ailleurs, ajouta Lehameau qui venait brusquement de faire une découverte, d'ailleurs, ajouta Lehameau d'un air malin, si on se mariait, ensemble, comment pourrais-tu devenir une espionne, tu te rappelles ce que tu m'as dit l'autre jour, que tu voulais devenir une espionne comme au cinéma, alors si tu te mariais avec moi, comment pourrais-tu devenir une espionne ?

— Ça n'empêche pas, dit Annette.

Ils se mirent à rire. A rire. Ils riaient tous les deux très fort.

Apparut alors un homme vêtu d'un gris

venimeux et qui poussait une brouette chargée de bois mort. Annette hurla.

— Un Boche, cria-t-elle.

C'était un prisonnier de guerre qui faisait son petit boulot, bien pénard.

— Voyons Annette, dit Lehameau n'aie pas peur, qu'est-ce qu'il te prend ?

Mais lui-même était surpris.

— Quel idiot de nous fiche la trouille comme ça.

— Tu trembles encore, dit Lehameau qui la tenait toujours serrée contre lui. Mais il ne faut pas dire la trouille, c'est vilain.

Cependant, le P. G. avait stoppé, indécis et gauche. Finalement, il se mit au garde-à-vous et fit le salut militaire.

— Je m'excuse, dit-il avec les altérations phonétiques d'usage. J'ai fait peur à la petite fille. Je ne vous avais pas vus. Je m'excuse.

— Ça va, ça va, mon ami, dit Lehameau.

— Comment, s'écria Annette scandalisée, vous dites mon ami à un Boche ?

— Eh bien, dit Lehameau, qu'est-ce que vous foutez encore là ? Ça va. Rompez.

— Ça c'est mieux, dit Annette.

L'autre était retourné docilement à sa brouette.

— Vous êtes seul ? lui demanda Lehameau.

— Oui, mon lieutenant.

— On vous laisse circuler comme ça, sans être gardé ?

— Oui, mon lieutenant.

— Ça ne vous donne pas envie de vous évader ?

— Non, mon lieutenant.

— Pourquoi : non ?

— J'aime la France, mon lieutenant.

— Il est culotté, remarqua Annette.

Lehameau fit signe à l'homme de s'éloigner et l'homme s'éloigna silencieusement avec sa brouette. Lehameau s'appuya de toute sa hauteur contre un arbre et laissa son regard suivre jusqu'à l'horizon une allée à travers bois. Le jour s'embourbait des premières taches de la nuit. ↳ être pris dans la boue

— Il rentre avec le crépuscule, remarqua Lehameau. C'est aujourd'hui le jour le plus court de l'année.

— Qu'est-ce qu'on va faire maintenant ? demanda timidement Annette.

— Nous allons rentrer aussi, dit Lehameau, avec notre bois mort.

— C'est le Boche qui vous a rendu triste ? demanda anxieusement Annette.

Lehameau ne répondit point. Ils marchèrent en silence et sortirent de la forêt. Il offrit à la petite une collation dans une guinguette près du cimetière. Ils mangèrent des crevettes et il but du cidre. Cela l'égaya. Il lui raconta le premier mois de la Grande Guerre tel qu'il l'avait vécu. Puis il la reconduisit chez elle.

Il l'embrassa sur les joues. Elle effleura sa bouche.

Les fenêtres de la villa étaient éclairées. Un phonographe projetait sur le trottoir une petite musique pivotante. Il faisait très froid.

XI

Amélie alla ouvrir, mais ce n'était pas M. Frédéric. On attendait M. Frédéric à dîner, mais ce n'était pas M. Frédéric. Lehameau qui lisait en bâillant se leva poliment lorsque Thérèse entra.

— Qu'est-ce qui se passe Bernard, demanda Thérèse. Vous n'êtes pas venu déjeuner dimanche, on vous a attendu jusqu'à une heure, depuis on n'a plus eu de vos nouvelles, qu'est-ce qu'il y a ? Je suis accourue, j'étais inquiète.

— Et Sénateur ? demanda Bernard.

— Ce n'est pas lui qui m'envoie. Il veut vous laisser mijoter dans votre jus, comme il dit. Il croit que vous êtes fâché à cause des questions qu'il vous a posées. Tant pis s'il s'est vexé, a-t-il dit, ce n'est pas à moi de faire des avances. Moi je suis venue, mais ne le lui répétez pas.

— Je ne me suis pas vexé, dit Bernard, mais il s'occupe de ce qui ne le regarde pas. Vous voulez un verre de porto ? Après tout moi je m'en fous de ce qu'il pense. Je ne suis plus un enfant. Je ne suis pas allé me faire casser une jambe pour la France, à propos elle va mieux ma jambe, je ne suis pas allé me faire casser une jambe pour que monsieur mon frère aîné vienne m'embêter à propos de deux malheureux gosses à qui je paie le cinéma. Après tout il n'y a plus de droit d'aînesse. C'est un tort d'ailleurs. On l'a supprimé, on voit où ça mène. Je ne suis pas fâché contre Sénateur, mais dimanche dernier ça m'embêtait de vous voir, vous : tous les deux, alors je ne suis pas venu. Vous voyez, je suis franc.

— Vous auriez pu nous prévenir.

— Cela m'embêtait aussi de vous prévenir.

— Vous êtes fâché contre moi aussi ?

— J'étais un peu parti hein ? Je crois que je vous ai fait une déclaration, du moins ça y ressemblait, mais ce n'est pas une raison pour être fâché contre vous.

— Ce serait plutôt à moi de vous en tenir rigueur.

— Vraiment ?

— Il me semble.

— Ah. Bon. Passons. Ecoutez Thérèse, est-ce que je ne vous ai pas fait aussi des confidences ?

— Vous m'avez parlé d'une certaine Helena.

— Suis-je bête.

— Vous regrettez cette confidence ?

— Oui. Il ne faut jamais faire de confidences, cela abîme les sentiments.

— Pourquoi ? Vous ne l'aimez plus ? Vous l'aimez moins ?

— Alors ma chère Thérèse, vous me croyez assez stupide pour vous faire de nouvelles confidences ?

— Excusez mon indiscrétion.

— Toute excusée. Mais dites-moi Thérèse, comment est-ce une femme qui aime ?

— En voilà une question.

— Mais non. Répondez-moi. Je ne me représente pas bien ça. Par exemple, est-ce qu'elle pense toujours à l'homme qu'elle aime ?

— Sans doute.

— Et elle le trouve beau ?

— Pourquoi pas ?

— Alors quand vous avez épousé Sénateur, vous le trouviez beau ?

— Mais certainement.

— Ah ! Il y a des tas de choses dans le monde dont on ne se douterait jamais.

— Vous je ne vous trouve pas beau par exemple. Vous en doutiez-vous ?

— Vous êtes rosse alors.

— Il faut vous remettre à votre place de temps en temps.

— Cela vous sera difficile. Supposez que jusqu'à votre rosserie, c'était pour vous faire plaisir que je vous ai dit cela, supposez que jusqu'à ce moment-là je n'ai fait que me moquer de vous, hein ? supposez cela, alors que devient votre rosserie ? Cela me fait rire. Ah ah, comme fait mon optimiste de frère.

— Je ne vous trouve pas beau, mais je ne vous trouve pas très intelligent non plus.

— Vous ne m'aimez pas quoi.

— Comme vous dites.

— Alors pourquoi êtes-vous venue me faire part de vos inquiétudes ?

— Je voulais simplement vous annoncer que Charles venait en permission pour les fêtes. Il arrivera le 24.

— Je le sais ; il m'a écrit.

— Vous viendrez dîner le jour de Noël ?

— Avec plaisir. Et voilà vos inquiétudes

réduites aux justes proportions d'une invitation à dîner.

— Simple, n'est-ce pas ? Alors à lundi.

Elle se leva.

— Selon vous, Thérèse, qui sont ces deux enfants que j'emmène au cinéma tous les dimanches ?

— Je n'en sais rien. Mais n'oubliez pas leurs étrennes. Ni leur arbre de Noël.

— Merci. J'y penserai.

Elle s'en fut.

— C'est joli ces bottines montantes, remarqua Lehameau pour lui-même, mais cela use du cuir et on en a besoin pour l'armée.

A la porte on sonna. Peu après M. Frédéric entra.

— Eh, eh, fit ce dernier en s'essayant à une diction grivoise telle qu'on s'imagine la Française sur les bords de l'Elbe, eh eh j'ai rencontré une fort jolie femme qui sortait de chez vous.

— Ma belle-sœur. Vous voulez un verre de porto ?

— Merci. Volontiers. Heuh, vous êtes marié, monsieur Lehameau ?

— Veuf.

— C'est prêt, vint hurler Amélie.

— Je m'excuse, dit M. Frédéric, j'étais un peu en retard n'est-ce pas ?

— Mais pas du tout, c'est ma bonne qui est toujours pressée, allons, à table, allons.

Lorsque Lehameau vit M. Frédéric devant son potage, de la bonne soupe chaude à vous brûler la gueule avec des yeux de beurre et des végétaux entiers, lorsqu'il le vit s'estomper derrière la fumée qui s'échappait du cratère de son assiette et se présenter comme une apparition évoquée par les prestiges de la magie cérémonielle, lorsqu'il vit cet homme qu'il connaissait à peine occuper cette place en face de lui, il demeura béant, le bras levé, immobile, la cuiller à la main.

M. Frédéric le regarda étonné. Ses lèvres remuèrent. Lehameau les voyait suspendues dans le brouillard potagineux. La voix demanda :

— Il y a quelque chose qui ne va pas ?

La cuiller descendit vers la fournaise et plongea dans le bouillon.

— Ce n'est rien, dit Lehameau, rien. Fameuse cette soupe, hein ? De la bonne soupe normande aux légumes. Dites-moi, la fondue, la fondue suisse, qu'est-ce que c'est ?

M. Frédéric lui en fournit la recette.

Dans la salle à manger de style Emile-Loubet, une ombre subsistait. Sur la cheminée, entre deux bronzes de Barbedienne, il y avait un objet qui avait été fabriqué avec des fleurs d'oranger.

Ce n'était pas une ombre, ce n'était pas un fantôme, un vrai. Un vrai fantôme. Il n'y a pas beaucoup de maisons hantées au Havre. C'était quelque chose de beaucoup plus pesant. Quelque chose qui se trouvait dans Lehameau lui-même, une épaisseur de passé coagulée dans sa mémoire, la trace phosphorescente d'un être décédé, un caillot de souvenir.

Depuis la mort de sa femme, Lehameau n'avait jamais admis aucun être vivant à sa table, ni parent, ni ami ; ni supérieur, ni en-nemi ; ni voyageur. Depuis plus de treize ans, ne s'était jamais assis un seul convive. Et c'est toujours dans la solitude que Lehameau s'était ici livré aux actes de la manducation et de la déglutition.

La salle à manger était de style Emile-Loubet, un style intermédiaire entre le Félix-Faure et l'Armand-Fallières, très petit-bour-geois par un certain côté, très petit-chinois par un autre, et sentant à plein nez le gaz démo-cratique. Mais Lehameau s'en moquait bien, il se souciait pas mal des styles. Sur la cheminée, il y avait une couronne de mariée, tout simplement.

M. Frédéric était donc assis à cette place, qui fut celle de son épouse, de la jeune fille qu'il aima et qu'il rendit femme, de celle qui était peut-être mère lorsque l'incendie la dévora. Lehameau éprouva une brusque et violente répulsion, M. Frédéric le dégoûta. Cependant, réfléchissant, il en vint à admettre qu'il y était bien lui-même pour quelque chose ; son aversion soudaine pour M. Frédéric en diminua d'autant, mais la gêne qui lui serrait doucement le gosier ne fit que s'en accroître.

Percevant le trouble, mais trop lourd pour en découvrir la cause, son hôte comprit toutefois qu'il était d'une élémentaire tactique d'entretenir la conversation tombée au rang de demi-mondaine, et, monnayant ses connaissances en helvétiologie, passa de la fondue aux vaches, à l'hôtellerie, à la tuberculose et à la neige. M. Lehameau laissait dire, ne fournissant pour sa part que l'aumône de quelques grognements sans signification appréciable.

Après le potage, on servit du ragoût. Après le ragoût, Lehameau se sentit mieux, car il aimait le ragoût. Après le fromage il se sentit encore mieux, car il aimait le fromage. Après le calvados, il se sentit tout à fait bien. Amélie desservit la table et disparut. Il se sentait maintenant tout à fait bien. Il avait envie de causer sérieusement avec M. Frédéric et se réjouissait d'avoir enfin trouvé quelqu'un devant qui il pourrait parler en toute franchise.

D'un coup de langue il fit résonner le fumet du calvados, puis il dit :

— Qu'est-ce que vous pensez de cette intervention du président Wilson ? Les buts de guerre des belligérants ! De quoi se mêle-t-il ? Voulez-vous me le dire ? Il veut brouiller les cartes. Les buts de guerre des belligérants tout le monde les connaît, pour la France c'est de reconquérir l'Alsace-Lorraine, pour l'Allemagne de conquérir le monde. Entre nous il faut avouer que ce dernier but a quelque grandeur. Qu'en pensez-vous, M. Frédéric ?

— Est-ce que vous ne croyez pas que c'est un peu exagéré !

— J'espère que non, dit Lehameau sans cela ce serait à vous dégoûter de tout. Je vous étonne hein. Vous ne devez jamais avoir entendu un Français parler comme cela ? Naturellement je vous dis tout cela entre nous.

— Bien sûr, dit M. Frédéric.

— Vous voyez, M. Frédéric, il y a une chose dont j'ai horreur par-dessus tout, c'est de la république française. Les radicaux, les socialistes, les radicaux-socialistes, pouah, pouah, pouah. Les francs-maçons, les juifs, les syndicats, pouah, pouah, pouah. L'éducation laïque, les instituteurs, les ouvriers conscients et organisés, pouah, pouah, pouah. La liberté, l'égalité, la fraternité, pouah, pouah, pouah. Hein qu'est-ce que vous en dites ? Et la démocratie ? Pouah pouah pouah. Tout cela me fait vomir, M. Frédéric. Tout juste : vomir.

— Vous êtes royaliste alors monsieur Lehameau ?

— Royaliste ? Peuh. Qu'est-ce que c'était que les Bourbons ? Des Juifs. Regardez leur nez. A quoi cela nous avancerait d'avoir un roi ? Ce serait du pareil au même. Tout ça c'est de la gnognotte. Moi, monsieur Frédéric, moi je vais vous dire ce qu'il faudrait à la France pour la sauver du désordre et de la décrépitude, mais naturellement tout cela c'est entre nous.

— Bien sûr, dit M. Frédéric.

— Non, dit M. Lehameau.

Il se leva et alla se verser un autre verre d'alcool.

— Encore, un peu de calva, M. Frédéric ?

— Non merci, pas pour moi.

— Petite nature, murmura Lehameau.

— Comment ? demanda M. Frédéric.

— Je disais : non. Je ne peux vraiment pas. Je ne peux pas continuer à vous dire tout ce que je pense. Tout de même c'est très grave en ce moment de ne pas penser comme tout le monde. Je pense des choses trop exceptionnelles, trop risquées.

Avec force :

— M. Frédéric, qu'est-ce qui me garantit votre discrétion ?

M. Frédédic hésita. Puis :

— Mais, monsieur Lehameau, ne me dites que ce que vous jugez bon de me dire. Je ne voudrais pas avoir l'air de vous pousser à des confidences.

— Des confidences. Oui, des confidences. Lehameau demeura rêveur. Helena.

Helena. Helena.

Helena.

Prochain rendez-vous, lundi. La posséde-rait-il ? Posséder ! Quel mot. Posséder posséder, posséder. Posséder une femme. Helena.

Helena. Helena.

Helena.

M. Frédéric comprit qu'il avait aiguillé son hôte sur une divergence. Il lui remit le grappin dessus.

— Après tout, dit-il, je prendrais bien encore un petit verre de cet excellent calvados.

— Il est fameux hein, dit Lehameau. Les Boches n'en boivent pas de comme ça. Ni les Français d'ailleurs. Il n'y a qu'en Normandie qu'on en trouve du pareil.

Il se rassit en soupirant.

— Après tout, dit-il, la France qu'est-ce que c'est ? La France ? C'est le pays des Francs. Qu'est-ce que c'était que les Francs ? Des Allemands. Au fond le mot France est synonyme du mot Allemagne. Curieux hé ? Remarquez encore autre chose : quel est le plus beau produit de l'art français ? l'architecture gothique, incontestablement. Qu'est-ce que c'était que les Goths ? encore une fois des Allemands. D'ailleurs nous autres Normands, nous descendons des Vikings. Vous savez que l'année prochaine on célébrera le quatrième centenaire de la fondation du Havre ?

Bon, se dit M. Frédéric, le voilà encore qui s'égare.

— Non, dit M. Frédéric, je ne savais pas. Mais pour revenir à ce que vous venez de dire, il me semble qu'il y a tout de même quelque chose de paradoxal dans vos théories. Je me demande si vous ne voulez pas vous moquer un peu de moi.

— Pas du tout pas du tout. Je pense absolument tout ce que je vous ai dit, et même au-delà. M. Frédéric, me jurez-vous le secret ?

— Monsieur Lehameau...

— M. Frédéric ?

— Je ne voudrais pas que vous vous imaginiez que...

— M. Frédéric ?

— **Je...**

— Monsieur Frédéric ?

— Vous pouvez être sûr de moi.

— Vous connaissez la devise : taisez-vous, méfiez-vous ?

— Monsieur Lehameau, je serai discret.

— Vous le jurez ?

— Je le jure.

— Ah.

Lehameau fit ah, puis fit encore :

— Ah ah.

Et lorsqu'il eut fait ah ah, il reprit :

— Eh bien, monsieur Frédéric, vous savez ce qu'il faudrait pour sauver la France de la décrépitude et du désordre ? Vous ne le savez

pas ? Non ? Eh bien moi je vais vous le dire.
Il faudrait un protectorat allemand. Il faudrait
un protectorat allemand sur la France, voilà
ce qu'il faudrait.

— Ah.

M. Frédéric fit ah, puis il fit encore :

— Ah ah.

M. Frédéric était très intéressé.

XII

Bernard arriva le dernier chez son frère. La première personne qu'il vit fut Adolf. Pouah pensa-t-il. Puis il aperçut Lalie avec ses quartz, ses perlouzes et son gros derrière, puis Thérèse qui croisait les jambes ah oh ah et montrait la partie inférieure de ses mollets gaînée de cuir lacé haut, puis Sénateur qui exultait, puis Charles. Il se précipita sur ce dernier et lui donna l'accolade. Il avait toujours aimé son neveu. Il était content de le revoir. Il l'agitait par les deux épaules et son visage prenait la forme du masque de la joie. Après avoir ainsi perturbé son comportement pendant cent à cent-cinquante secondes environ, il alla s'asseoir dans un fauteuil un verre à la main et demeura silencieux.

Il fixait au centre de sa mémoire, une oreille.

Il entendait dans le lointain le cousin suisse bouillonner de jusqu'auboutisme et tenter de faire raconter à Charles ses exploits guerriers, Sénateur qui l'encourageait, Thérèse et Lalie qui bavardaient parallèlement. Tout ça ça faisait du brouhaha, mais un brouhaha peu solide, et qui ne l'offusquait point. Il l'écoutait sans que cela troublât l'image qui l'enchantait, au contraire du chien qui bouleverse son reflet en buvant l'eau qui le mire. Mais ces borborygmes de l'espace n'étaient en aucune façon des échos de sa rumination : l'oreille gardait sa netteté, le charme de ses courbes, le fini de son dessin, une oreille petite et délicate et jeune, croquante et nacrée, câlinement serrée contre la paroi du crâne, une fleur de chair merveilleuse et translucide. Helena.

Helena. Helena.

Helena.

Ils se sont promenés, cette fois-ci, sur le haut de la falaise. Il faisait toujours un beau temps gris d'hiver, un ciel de neige avortée. Un vent sec écorchait la peau. Ils marchent lentement le long de la terre sectionnée ; en bas poudroie la mer. Ils commencent par épuiser la conversation courante, celle qu'on trouve dans les manuels bilingues. C'est au-

135

jourd'hui Noël. Noël c'est une histoire de pou-digne et de boudin, un prétexte à mangeaille quoi. Helena se déclare agnostique, son père avait été un athéiste militant et sa mère, en France, élevée laïquement. Lui il a été à la messe ce matin. C'est beau la messe, les chants, l'odeur plus que pharmaceutique, la discipline pour le peuple. Noël, mais c'est le jour anni-versaire de la naissance du Christ. S'Il a existé. Helena en doute fort, qu'Il ait existé ; elle croit là-dessus son alcoolique de père, qui en connaissait au moins trente-six raisons, pour qu'Il n'ait pas. Drôle de conversation, on ne la trouve pas dans les manuels. Sur l'eau en bas il y a des bateaux, mais on ne va pas encore parler des transports et de la guerre. Il la prend par la taille. Il retourne à la con-versation courante, celle qu'on trouve dans les manuels bilingues. Il lui dit, je vous aime. Mais non il n'est pas retourné à la conver-sation courante, c'est un je vous aime à lui, différent des autres, des autres je vous aime. Ils s'embrassent. Sa langue, à elle, est comme une petite bête humide qui sortirait d'un bain, tiède et charnue. Elle se débat contre la sienne pour être mieux docile. Il tient son corps serré contre le sien, mais c'est un corps tout vêtu,

136

étranger, et il fait si froid. Même pour s'embrasser, il fait très froid. Leurs lèvres se séparent et le vent glisse entre leur visage comme un couteau. Il lui dit, je vous aime Helena, venez chez moi, vous ne voulez pas venir chez moi ? c'est très raisonnable, il fait si froid. Mais non, elle ne veut pas venir chez lui. Il fallait s'y attendre, il juge sa demande brutale. Mais pourquoi ne veut-elle pas venir, il le lui demande. Elle ne répond pas à sa question, mais c'est elle qui maintenant dit, je vous aime, et qui l'embrasse. Il ferme les yeux et ses doigts se crispent sur le drap de l'uniforme. C'est très beau tout ça mais ne couchera-t-il donc jamais avec elle jamais jamais jamais. Leurs lèvres se séparent et le vent glisse entre leurs visages comme un couteau. Il lui demande encore une fois si elle ne veut pas venir chez lui ; mais non elle ne veut pas et lui sourit. Ils reprennent leur promenade, marchent lentement. Il la regarde, qu'elle est belle, et découvre, son oreille.

Petite et translucide.

Helena.

On se leva pour aller dans la salle à manger. Bernard retint son frère par la manche :

— Alors tu as invité le Suisse ?

137

Sénateur s'excusa :

— Je ne pouvais pas faire autrement.

Tous se mirent à croûter. Mais chaque chose, chaque geste, chaque incident appelait une allusion aux tranchées ou aux Boches ou aux totos ou à Rosalie. Charles donnait la réplique avec discrétion, souriait parfois gêné, parfois n'avait même pas l'air de comprendre. Adolf s'étonnait vaguement de ce manque d'enthousiasme et remettait ça avec l'héroïsme, les charges à la bayonnette et les kamarads apeurés des adversaires.

— Ce sont de bons soldats, dit timidement Charles.

— Pensez-vous, dit Adolf, ils détalent quand ils voient Rosalie.

Détaler était un mot qu'il avait appris dans le journal ; et Rosalie, naturellement. Les hostilités enrichissaient également son vocabulaire.

— Ces gens-là sont des lâches, dit Sénateur.

— Il ne faudrait tout de même pas exagérer, murmura Charles.

— Qu'est-ce que tu dis ? demanda Sénateur.

— Je dis qu'il ne faudrait pas exagérer.

— Comment ? Ces gens-là ne sont pas des

lâches, qui brûlent les cathédrales et coupent les mains des petits enfants ?

— Oui mais ça n'empêche pas que ce soit de bons soldats, au point de vue militaire tu comprends.

— Eux des bons soldats, s'exclama l'Adolf, mais il les a eus notre Joffre.

Bernard commençait à trouver cette petite discussion fort divertissante.

— Mais, demanda-t-il d'un air distrait, est-ce qu'il ne vient pas d'être limogé notre Joffre ?

Et il ajouta :

— D'ailleurs s'ils étaient d'aussi mauvais soldats que vous le dites, qu'est-ce qu'il faudrait alors penser de nos poilus qui n'ont pas encore réussi à les bouter hors de France ? S'ils sont des lâches, que sont alors les Français qui ne parviennent pas à les battre ? Ce sont incontestablement d'excellents soldats, courageux, disciplinés, et caetera.

On savait qu'avec Bernard on pouvait s'attendre aux propos les plus scandaleux, les plus extravagants, mais cette fois-ci il dépassait toute mesure. Le violet de l'indignation vint mugir dans les artères d'Adolf.

— Mon oncle a raison, dit Charles avec assez d'assurance.

Sa croix de guerre lui donnait tout de même bien le droit de parler. Mais la consternation écrabouilla des visages.

— Vous êtes excusables, conclut un Bernard très condescendant. Il n'y a que des combattants pour comprendre que l'on peut avoir de l'estime pour son adversaire.

Il ne poursuivit point son avantage et l'on parla d'autre chose. Et l'on évita par-dessus tout les questions de stratégie et de politique extérieure. Avec un type comme Bernard, c'était prudent ; sinon les choses se seraient finalement gâtées. Quant à Charles il se félicitait qu'on lui foutît enfin la paix ; il en gardait pour Bernard quelque reconnaissance. Et Bernard, satisfait de son triomphe, ne se souciait plus de dérouter les naïfs. Lorsqu'ils se sont quittés, elle lui a dit qu'elle craignait qu'on ne la renvoyât en Angleterre. Personne n'ignorait qu'elle sortait avec lui. C'était déjà courageux de sa part, audacieux, risqué de sortir avec lui. Elles étaient très tenues, la discipline était très sévère. Et si on la renvoyait en Angleterre ? Non, on ne la renverrait pas en Angleterre. Et si on la renvoyait en Angleterre ? Alors ils s'écriraient sans doute, et après la guerre ils pourraient se revoir. Cet après-la-guerre le faisait maintenant sourire. Pas plus là-dessus que sur le reste il ne voulait se faire ce qu'il appelait des illusions. Si elle retournait en Angleterre c'était fini. C'était absolument fini. C'était radical comme la mort. Deux coquillages collés à la même pierre, au même bois, une vague en arrache un et voici, l'océan l'absorbe même s'il se raccroche à quelque autre rocher, à quelque autre navire.

Le délicat coquillage de son oreille tremblait au fond de sa mémoire. Helena.

Helena. Helena.

Helena. Elle serait perdue. L'absence s'enflerait de toutes les catastrophes et dans la masse opaque des malheurs du monde cette séparation se perdrait indiscernable. Elle serait engloutie.

Il l'aimerait. Ou il ne l'aimerait plus. Ridicule, l'image d'une rencontre future en des temps pacifiques. L'histoire écrasait le roman de sa patte épaisse. Il sourit avec mépris.

Il est de nouveau assis dans un fauteuil un verre à la main. Après dîner sont venus des invités. On montre le permissionnaire, on exhibe le héros. Il y a là les Duplanchet, les

Sacqueville, les Poussinet, d'autres encore. Sénateur fait monter du champagne. Lequel pète.

— On ne s'embête pas à l'arrière, dit Bernard à son neveu qui passe près de lui.

Mais Charles disparaît aussitôt, ravi par quelque jeune femelle.

Il sourit avec mépris.

Thérèse s'approche de lui. Il se lève poliment pour lui offrir son fauteuil. Il tire une chaise près d'elle.

— Vous êtes-vous souvenu de mon conseil ? lui demanda-t-elle.

— Vous m'avez donné un conseil ?

— A propos de ces enfants.

— C'est vrai. Oui, je vous remercie. Je leur ai donné des jouets splendides.

— Vous connaissez leurs parents ?

— Oui.

Il a passé toute la soirée chez la Grande sœur Madeleine à boire de la bénédictine avec des officiers anglais et des amies de la Grande sœur Madeleine. Les enfants riaient au milieu de leurs jouets. C'était très chaste. Puis les enfants se sont endormis au milieu de leurs jouets. Polo le premier. Lehameau a porté Annette dans ses bras jusque sur son lit. La

Grande sœur Madeleine l'a déshabillée. Lui, il est sorti de la chambre, sans regarder. Puis tout le monde est monté voir les enfants dormir et chacun s'attendrit. Après on a recommencé à jouer du phono, on a dansé, c'était moins chaste. Lehameau avait même croyait-il embrassé Madeleine, mais par gentillesse simplement. Une auto de la Base l'a ramené chez lui. Il avait passé une bonne soirée.

— Ils n'ont pas de parents, dit Bernard.

— Alors, comment pouvez-vous les connaître ?

— Evidemment. Quand je vous ai dit oui, ce n'était pas tout à fait exact. Passons. Thérèse, s'il ne m'est pas possible de vous parler des parents de ces petits enfants, j'ai pourtant une nouvelle à vous apprendre. Je ne sais si elle vous intéressera. Vous êtes la première personne.

Il réfléchit :

— Oui, la première, à qui je l'annonce. D'ici peu de temps ma jambe sera complètement guérie et je pourrai être envoyé sur le front.

— Vous devez être content, dit Thérèse.

— Naturellement.

Ils se turent.

143

— Et vos amours avec cette jeune fille en uniforme ? demanda Thérèse.

— Ah oui, je vous ai parlé de cela.

Il fixa son oreille, elle était aux trois-quarts cachée par les cheveux, il n'en pouvait voir que le lobule, rose et menu.

— Ne me regardez pas comme ça, dit Thérèse, vous me gênez.

— Pardon.

Ils se turent.

— Et cette Anglaise ?

— Eh bien, elle ne m'aime guère.

— Pourquoi, elle ne veut plus vous voir ?

— Oh si, mais elle ne veut pas coucher avec moi.

— Oh, fit Thérèse. Oh. Bernard.

— Vous ne voudriez tout de même pas que je vous parle comme à une petite fille.

Et pourtant, songea-t-il, je sais aussi parler aux petites filles.

— Non, dit Thérèse, mais vous pourriez vous exprimer moins crûment.

— Peuh. Hypocrisie. Cela nous vient encore d'outre-Manche.

— Pourquoi ? Vous méprisez tout ce qui nous vient d'Angleterre ?

— Bonne répartie, murmura Bernard.

Il se pencha vers elle :

— Je l'aime, murmura-t-il. Mais dans un mois cet amour sera mort, consumé. Nous serons séparés, nous serons perdus l'un pour l'autre. Et tout sera fini. Il y a un incendie qui s'est allumé quelque part et qui s'étend et qui se propage et qui brûle et qui brûle tout ce qu'il rencontre. Il fond les soudures et ce qui n'est pas d'une seule pièce s'écroule démantibulé, en morceaux. Les petits métaux vils fondent tout de suite, mais les autres seront trempés. Peut-être. C'est un grand incendie, vous savez, Thérèse.

— Oui, murmura Thérèse.

— Il y a de grands bois calcinés où les oiseaux ne reviendront plus.

Comme c'était beau, comme c'était triste. Thérèse soupira. Elle sentait en elle se propager des ondes du tympan à la matrice. Elle n'osait regarder Bernard.

Qui s'était tu.

Mme Duplanchet s'abattit sur eux comme un gros insecte, un de ceux qui vivent dans les mares et qui s'envolent parfois pour retomber gauchement sur l'herbe n'importe où. L'œil de M. Lehameau junior lui fit un peu peur, mais, ayant été bien élevée, elle engagea tout de suite une conversation plausible. Bernard se leva et lui offrit poliment sa chaise. Puis s'excusa. Puis partit.

D'autres s'excusèrent, d'autres partirent, puis tous.

Dans la chambre de Lehameau senior, Thérèse lit au lit, Sénateur s'apprête à se coucher.

— Tu as découvert qui sont ces enfants ? lui demande-t-il.

— Non. Mais j'ai une idée. Peut-être que ce sont les enfants d'un de ses hommes qui aurait été tué à côté de lui et qu'il est devenu pour ainsi dire leur tuteur.

— Si c'était vrai pourquoi ne pas nous le dire ? Ce serait tout à son honneur. Mais je crains le pire.

— Il m'a encore appris autre chose.

— Quoi donc.

— D'ici peu il repartira pour le front.
Sénateur réfléchit.

— Ça ne lui fera pas de mal. Il était impossible ce soir.

Thérèse se remit à lire. Sénateur se glissa entre les draps. Il s'approcha d'elle.

— Fiche-moi la paix, dit Thérèse.

XIII

Devant son café au lait, la Noël passée, Lehameau tartinait avec une extrême lenteur. Il n'y mettait point son entrain habituel ; de même, il ne s'était point précipité sur les journaux qui gisaient indépliés à sa droite.

— Monsieur a encore porté trop de brindes hier soir, dit Amélie qui l'observait. Ça embrouille la cervelle.

— Foutez-moi la paix, répondit Lehameau distraitement.

Il se sentait la tête légère, alerte, un peu vide même. Il ne savait même pas qu'il était inquiet. Il n'essayait pas d'imaginer ce qui devait arriver. Il y avait certainement quelque chose qui allait arriver. Le jour de l'incendie, il était comme ça, mais ce n'était pas possible de s'imaginer cela, l'incendie. Il se mit à tremper son pain dans sa tasse mais avec tant de négligence que des yeux de beurre flottèrent à la surface du jus brunâtre. Lehameau les examinait avec intérêt.

Un incendie c'est difficile à s'imaginer, mais un départ.

Lehameau ne s'imaginait point. Il s'inquiéta finalement de l'heure. Il n'y avait pas de raison pour qu'il soit en retard aujourd'hui plus que les autres jours. Il n'était jamais en retard. Il abandonna la trempette et le communiqué du jour. Il marcha d'un bon pas. Il ne se servait plus de canne. Ce jour-là pas plus que les autres il ne fut en retard.

Au grand déjeuner comme au petit il rechignait à la nourriture, Amélie lui dit :

— Monsieur devrait prendre un laxatif.

Il répondit :

— Mais foutez-moi donc la paix.

Elle avait quinze ans de service, il n'avait pas peur de la vexer. Mais c'est à peine s'il lut le communiqué allemand dans le *Journal de Genève.* Lorsqu'il se leva de table, il y avait une dizaine de boulettes de pain sur la nappe, toutes d'un volume assez considérable et grises d'empreintes de doigts.

L'après-midi il trouva un prétexte pour passer à la Base. Tiens, fit-il, Miss Weeds n'est pas là ? Non. Elle retourne en Angleterre. Elle part ce soir sur le bateau-hôpital *Zbelia*. Il y a aussi deux transports de permissionnaires qui partent ce soir, des qui ont raté le Xmas en terre britannique. Miss Weeds, elle, elle part sur le bateau-hôpital *Zbelia*. Très bien, et quand reviendra-t-elle. On ne croit pas qu'elle revienne. Il aimerait tout de même bien savoir. Savoir quelque chose. Voici captain K. Il le connaît, c'est un ami. Le captain ressemble à lord K., il devait être à Khartoum et à Fachoda et aux Indes, il a l'air aussi militairement militaire que Mackensen ou Hindenburg. Il a des décorations, des médailles, des croix, des insignes. Il est franc et hiérarchique. Ça ne lui est pas difficile de donner des explications puisqu'il est franc et hiérarchique. Miss Weeds retourne en Angleterre, est renvoyée en Angleterre parce que sa conduite n'était ni franche, ni hiérarchique. Que le lieutenant Lehameau tire la morale de cette histoire : discipline, discipline, et c'est pas le moment de rigoler. Naturellement le captain dit ça à sa façon, en anglais, et d'une façon franche et hiérarchique. Le lieutenant Lehameau, n'est-ce pas, comprend à demi-mot, n'est-ce pas, l'entente cordiale ne consiste pas à dépuceler les petites vierges britanniques, n'est-ce pas. Le captain lui tend la main et le chèquandise : courage mon garçon.

Lehameau sort de là, il est tout vidé.

Il s'appuie contre un poteau, il trébuche, il aurait maintenant besoin de sa canne pour marcher. Il sue.

Il doit finir sa journée au bureau. Ça ne va pas mon vieux, lui dit-on, tu as trop bu ces jours-ci, c'est le foie. Il y a des jours où il y a beaucoup de travail, d'autres où il y en a moins. Aujourd'hui c'est un jour où il y a précisément beaucoup de travail. Vous n'avez pas l'air bien, lui dit franchement son supérieur hiérarchique, vous devriez rentrer chez vous, il faut vous soigner. Ah, mais non, Lehameau est un homme de devoir, il faut que le travail soit terminé.

Lorsqu'il sort, il fait nuit nuit nuit. Il y a aussi un peu de brouillard, des sortes de larves qui se collent aux réverbères. Lehameau doit aller maintenant au quai d'escale. Il court à Tortoni, il trouvera bien un officier anglais de connaissance qui mettra à sa disposition une voiture automobile et militaire. Il suffit d'insister et de boire une ou deux tournées en compagnie.

L'auto file vers le port. C'est un long trajet, il faut contourner les bassins. Les docks s'allongent s'allongent, on n'en verra jamais la fin. Sur les quais dorment les marchandises. Elle roupillent, exténuées. La brume les enveloppe d'un duvet phosphorescent. C'est un long trajet, on n'en verra jamais la fin, c'est un sale rêve, un rêve dégoûtant à cause de sa longueur, un ténia qui n'en finit pas. Le quai de Nouméa n'est pas plus gai que les autres, certes, un peu moins même, et voici la masse blanche du bateau-hôpital et ses croix-rouges. Premier factionnaire, on passe. L'auto s'arrête. Deuxième factionnaire, Lehameau ne passe pas. Il ne passera pas. Il se démène il interpelle, il supplie, il argumente. Il ne passera pas. Les passerelles se rétractent dans le navire. Il n'aura pas passé Lehameau. Il est là sur le quai enfoncé comme un clou. Il regarde immobile les hublots éclairés, les silhouettes qui vont et viennent sur les ponts ou s'appuient contre le bastingage. La sirène brait, des cordes volent, les hélices battent l'eau en neige et le quai s'éloigne lentement, tiré en arrière. C'est comme ça que partent les bateaux.

L'auto ramène Lehameau vers la ville. C'est

encore plus long que pour venir. Il lui semble que la voiture doive parcourir un à un chaque point de l'espace et reste ainsi immobile au centre de la nuit. C'est excessivement désagréable, c'est agaçant même. Et puis tout à coup voici des maisons, des gens qui passent, des lampes derrière des vitres. Voici même un tramway. Voici des cafés, des restaurants, des vespasiennes, du temps qui recommence à couler, quoi. L'auto s'arrête, merci.

Lorsque Lehameau arriva au bout de la jetée près du sémaphore, la *Zbelia* s'engageait entre les deux digues. Il n'en pouvait plus voir que la poupe blanche qui disparaissait graduellement, un fantôme qui marchait sur les eaux, et s'en allait à reculons, en le regardant. Helena.

Helena. Helena.

Helena.

Puis les deux transports traversèrent l'avant-port et disparurent, suivis d'un torpilleur.

Lehameau regarda tout ça, tout ce spectacle. Puis il regarda l'eau. Puis il regarda le sémaphore. Puis il regarda le ciel. Puis il regarda l'eau. Puis il ne regarda rien. Il n'y avait plus rien à regarder, il n'y avait plus qu'à s'en aller. Quand tout est fini, on rentre

152

chez soi, quand on a heureusement un chez-soi comme Lehameau. Alors comme à la sortie des spectacles surgissent des coins obscurs les quémandeurs ignobles, mendiants et prostituées, alors un personnage vint s'imposer à lui.

— J'aime beaucoup voir le mouvement des bateaux, dit M. Frédéric, c'est un but de promenade fort intéressant.

Lehameau ne lui demandait rien.

— Ce convoi devait sans doute être dirigé sur Southampton, dit M. Frédéric.

— Non, Plymouth.

Il y eut un silence.

— Cela vous intéresse la destination des bateaux, demanda Lehameau qui semblait penser à tout autre chose M. Frédéric se demandait à quoi.

— Tout ce qui concerne la marine me passionne, dit M. Frédéric. Il est vrai que je mène une vie bien casanière, mais tout ce qui concerne la marine me passionne. Savoir où vont tous ces bateaux, c'est passionnant. Et surtout, monsieur Lehameau, n'allez pas me plaisanter sur ma nationalité, vous savez : l'amiral suisse.

— Une plaisanterie de ces imbéciles de Français hein, fit Lehameau.

M. Frédéric rit sans pudeur.

Lehameau se sentait l'esprit net, coupant.

— Et de savoir quels bateaux sont attendus c'est intéressant aussi, non ?

— Très intéressant, dit M. Frédéric.

— Et de savoir ce qu'ils transportent ces bateaux c'est intéressant aussi, non ?

— Vous êtes très renseigné là-dessus n'est-ce pas ? dit M. Frédéric.

— Au point de vue militaire seulement, des transports de troupes, des unités qui doivent débarquer, d'où elles partent, où elles vont. Mais c'est intéressant aussi les questions militaires, non ?

— Sans doute sans doute, dit M. Frédéric, mais comme je suis neutre vous pouvez dire que ça ne me regarde pas.

— Et si vous étiez un ennemi cela vous regarderait moins ?

— Si j'étais un ennemi, dit M. Frédéric, je ne serais pas votre ennemi.

— Pourquoi donc ?

— Je me réfère à notre conversation de l'autre soir.

— Ah !

— Vous ne pensez plus ce que vous me disiez l'autre soir ?

— Vous aussi hein vous trouvez qu'il serait juste et désirable que l'Allemagne prenne en main les destinées de l'Europe et du monde ?

M. Frédéric se tut.

— Si vous ne me répondez pas, reprit Lehameau, comment voulez-vous que je sache si cela vous intéresse ou non de connaître le mouvement des transports anglais ?

— Je ne vous comprends pas très bien.

— Après tout nous avons Jeanne d'Arc et Napoléon à venger, dit Lehameau.

— Oui, je me demande comment les Français ont pu s'allier avec des gens qui leur ont fait tant de mal.

— Qu'est-ce que je vous disais, dit Lehameau.

— Alors, vous pensez bien ce que vous me disiez l'autre soir, dit M. Frédéric ne saisissant pas le sens exact de la phrase : qu'est-ce que je vous disais.

— Monsieur Frédéric, est-ce que vous n'avez pas songé à moi comme un agent de ces grands desseins, un agent bénévole, sans doute, et modeste, mais efficace ?

— Quels grands desseins? demanda M. Frédéric.

— M. Frédéric, il faut que vous me parliez franchement ou bien ne comptez plus me revoir. Oui ou non, cela vous intéresse-t-il de connaître le mouvement des transports anglais ? N'est-ce pas là où vous vouliez en venir ?

M. Frédéric ne répondit pas.

— M. Frédéric, pourquoi m'avez-vous caché que vous connaissiez mon cousin Geifer ? Il vous a parlé de moi hein ?

— Je fais des affaires avec lui, dit M. Frédéric.

— Et alors ?

— Monsieur Lehameau, dit enfin M. Frédéric, je crois sincèrement que vous êtes l'un des rares Français intelligents de notre époque, un de ceux qui ont compris que seuls notre empereur et notre peuple peuvent sauver l'Europe du péril jaune, du péril russe et du péril anglais. Du péril juif aussi cela va sans dire. Je suis heureux, monsieur Lehameau, je suis fier de rencontrer chez un Français une pareille compréhension, et j'espère que nous pourrons tous les deux collaborer, selon nos faibles moyens, à la noble mission de la nation allemande.

Ce que Lehameau ne pouvait pardonner à M. Frédéric, c'était de s'être assis à cette place, là, devant lui, à sa table, de s'être fait inviter, d'avoir souillé son seuil et son foyer. Il irait le lendemain sur la tombe de sa femme.

XIV

Le lendemain on apprit que le bateau-hôpital la *Zbelia* avait été torpillé en rade du
Havre par un sous-marin allemand. La plu-
part des passagers avaient été sauvés, disait-
on. Il parut très évident à Lehameau qu'Helena
devait être de ce nombre. Les femmes et les
enfants d'abord, un naufrage n'est pas difficile
à imaginer, pas plus qu'un incendie. Il était
habitué aux catastrophes Lehameau, il ne connaissait que ça les sinistres. De temps à autre
des gens y échappent, aux catastrophes, aux
sinistres.

Saine et sauve Helena.

Saine : ce corps, ce visage, cet espoir, ces
yeux. Ces dents. Ses dents n'étaient pas très
bien rangées, ce n'est pas un signe de bonne
santé, cela ne fait rien. Cette oreille : son

oreille : le lobule sain d'une oreille saine. La fermeté de sa croupe.

Sauve : vivante. Re-vivante.

Cela lui parut très évident, Helena saine et sauve, Helena.

Helena. Helena.

Helena.

Cela lui parut tellement évident que cela ne pouvait le détourner de son projet.

Autour de lui on vitupérait la barbarie allemande. Tout de même fallait-il être sauvage et malfaisant pour couler un bateau-hôpital. Est-ce bête, est-ce méchant. Lehameau écoutait sans rien dire ; il trouvait qu'il fallait un certain courage et une belle audace pour venir à quelques kilomètres des côtes françaises torpiller un convoi escorté de navires de guerre. Des deux appréciations complémentaires, laquelle était la plus importante ? Peuh, il réfléchirait à cela plus tard. Songeant à M. Frédéric il haussa les épaules, peuh.

S'avouant franchement malade à son supérieur hiérarchique, Lehameau obtint une après-midi de repos. Après le déjeuner, il prit le tramway et se rendit au cimetière. Il s'arrêta devant des tombes d'Anglais, regardant le nom des régiments, s'intéressant aux prove nances. Plus loin des stèles s'ornaient de caractères arabes. Il marchait lentement, s'instruisant. Le vent, le vent soufflait toujours, c'était un dur hiver, les arbres étaient décapés, seules pendues aux croix se conservaient les fleurs artificielles.

La même dalle de granit portait gravés les noms dorés de Zéphyrine Lehameau, d'Evodie Lehameau et d'Emilie Lehameau, sa mère, sa belle-sœur, sa première belle-sœur, et sa femme. Il s'immobilisa tête nue devant la pierre, les mains croisées, mais il ne priait pas. Il savait bien d'une part que les défunts sont respectables, mais de l'autre il croyait que quand on est mort c'est pour longtemps. Alors il se découvrait se signait croisait les mains, mais il ne priait pas. Il ne priait pas mais ça ne l'empêchait pas de pleurer. Il pleurait le corps immobile, sans hoquets, ni sanglots, comme il en avait l'habitude. Il pleurait ainsi pendant une dizaine de minutes.

C'était très long, dans le froid.

Il était tout seul, dans le froid.

Il pleura donc ainsi pendant une **dizaine de** minutes, puis il s'essuya le visage, se signa, se recouvrit, s'éloigna.

Il poursuivit, sa promenade, lisant les inscriptions, critiquant les épitaphes, étudiant des dates et des parentés. Il musait. Au bout d'une allée il aperçut les derniers restes d'un cortège qui se dispersait. Il s'approcha de la fosse toute fraîche, observant les deux fossoyeurs dans l'exercice de leur métier. Ainsi, songea-t-il, telle serait dans bien peu de temps la situation de M. Frédéric, dans une boîte avec de la terre s'égrenant sur lui. Il voyait très bien M. Frédéric allongé dans un cercueil avec douze balles dans la peau. Ça lui irait très bien à M. Frédéric, c'était même pour lui une destination tout indiquée, et après tout il ne demandait qu'à sacrifier sa vie pour sa patrie, M. Frédéric.

Lehameau poussa un petit rire bref, immédiat.

Les deux fossoyeurs s'arrêtèrent surpris et le regardèrent. Il ne présentait rien de surprenant. Ils avaient dû se tromper, mal entendre. Lui, il continuait à les surveiller et ne bronchait pas. Ils se sentaient gênés. Il leur parut alors obligatoire de faire un brin de causette avec lui, rien que pour alléger l'atmosphère et établir entre eux des rapports humains.

— Mon lieutenant, fit l'un d'eux, vous ne

savez pas qui c'est qu'on enterre là ici en ce moment ?

— Non.

— Ducouillon. Vous savez bien, mon lieutenant, Ducouillon le chanteur comique des Folies-Bergères, ah un rigolo. Moi, mon lieutenant, tel que vous me voyez je l'ai entendu chanter. Pas vous ?

— Non.

— Il chantait :

quand hon haime hon hest hun imbéciiiile hon hécoute que ses sentiiiiments,

ah, il était rigolo.

Lehameau, lui, ne supportait que les rigolos silencieux, ceux du cinéma. Il tourna le dos aux fossoyeurs et s'en fut sans les saluer. Ils se remirent à leur labeur en émettant des réflexions philosophiques.

Il s'éloignait d'un pas rapide et sûr ; il venait de découvrir ceci, que c'était les vacances du Jour de l'An, qu'Annette par conséquent ne devait pas être à l'école et qu'il pourrait sans doute l'emmener au cinéma, au Kursaal, par exemple.

Son coup de sonnette à la porte de la villa

fit apparaître la Grande sœur Madeleine sur le perron. Elle lui fit signe d'entrer. Il entra.

— Bonjour Bernard, dit Madeleine. Alors, tu t'es bien amusé l'autre soir ?

— Oui. C'est vrai. Je me suis bien amusé.

Il s'étonnait qu'elle le tutoyât.

— Tu sais, fit-elle, tu peux m'embrasser. Tu en as pris l'habitude l'autre soir.

Il l'embrassa.

— Qu'est-ce que tu veux que je t'offre ? Un visqui, une menthe verte ? Tu veux que je te fasse du thé ? Bien chaud avec du rhum dedans, c'est pas mauvais par ce froid.

— Je veux bien un rhum, sans thé.

Il s'étonnait du silence de la maison.

— C'est gentil d'être venu me voir, dit Madeleine.

— Où est Annette ?

— Alors ce n'est pas moi que tu es venu voir ?

— Annette n'est pas là ?

Elle rit.

— Fallait-il que tu sois saoul l'autre soir, tu ne te rappelles pas que je t'ai dit qu'elle allait chez sa grand-mère à Caudebec avec Polo, pendant les vacances. Tu ne te rappelles pas ?

— Non. Je ne me souviens pas du tout.

— Fallait-il que tu sois saoul, dit Madeleine. Je ne sais pas si c'est pour ça que tu m'embrassais tout le temps.

— Je vous embrassais beaucoup ?

— Tout le temps. Mais ce n'était pas sérieux, si ?

Lehameau avala son verre de rhum.

— D'ailleurs, dit Madeleine, je ne trouvais pas ça désagréable du tout. Tu me plais, tu sais.

Elle lui demanda :

— Tu es marié ?

— Non.

— Tu as une petite amie ?

— Non.

— Une liaison avec une femme mariée ?

— Non.

— Des femmes de passage ? Des poules ?

— Non.

— Je suis sûre que tu ne vas pas rue des Galions.

— En effet.

— Alors quoi ? Tu me fais marcher. Je sais qu'avec ma petite sœur tu es très correct. Tu n'es pas un vicieux. Tu n'as pas une tête à avoir des sales vices comme les Bicots. Tu me fais marcher, tu ne veux pas me dire la vérité.

— Je suis chaste, dit Lehameau.

— Oh, fit Madeleine.

De la stupéfaction elle passa à l'apitoiement.

— Pourquoi ? Tu ne peux pas ?

Ça c'était drôle.

— Je ne sais pas, dit Lehameau en riant brusquement. Je n'ai pas essayé depuis treize ans.

— C'est pas possible, tu me racontes des histoires.

— C'est vrai.

Elle le regardait en silence, très intéressée. Soudain elle s'écria :

— J'ai deviné. La première fois ça t'a dégoûté, alors tu n'as pas voulu recommencer. J'ai connu des types comme ça.

— Non, ce n'est pas cela du tout. Je t'en prie, ne me pose plus de questions.

— Mais enfin tu n'en as jamais envie ?

— Si. Cet hiver. J'étais amoureux d'une Anglaise, mais très fort tu sais, je la désirais j'en étais obsédé, ça me tordait là au milieu de la poitrine comme une angoisse.

— Tu l'aimais, quoi.

— Elle, elle ne voulait pas. C'était une

165

jeune fille, une vraie jeune fille anglaise pour qui le mariage est une chose très importante. Je ne dis pas que le mariage ne soit pas une chose très importante, mais enfin je ne pouvais tout de même pas l'épouser vu les circonstances où nous nous trouvons. Et maintenant elle est partie, tout est fini. Tout est fini.

Il pensa mais ne dit pas : je ne suis même pas sûr qu'elle soit encore vivante.

Madeleine le regardait ; elle le trouvait beau, sympathique, touchant. Elle n'écoutait même plus ce qu'il disait.

Enfin bref, ils couchèrent ensemble.

Debout derrière la porte de sa boutique, Mme Dutertre regarda tomber la neige ; soupira, retourna s'asseoir et reprit sa lecture. Il n'y avait aucun espoir qu'un client pût sortir de ce silence épais et froid. Elle frissonna et se leva pour aller remettre du charbon dans le poêle et de l'eau dans la bouillotte qui ne chantait plus. Elle s'arrêta pour encore une fois regarder tomber la neige ; retourna s'asseoir et reprit sa lecture qu'elle interrompit aussitôt pour voir ce que faisait Saturnette, sa nouvelle chatte. Saturnette dormait dans sa fourrure, derrière le poêle. Mme Dutertre trouvait sa nouvelle chatte particulièrement égoïste. Elle soupira ; leva les yeux pour regarder, par-delà les vieilles estampes de sa vitrine, la neige tomber ; reprit de nouveau sa lecture.

Elle se sentait à son tour seule.

Vers les trois heures la rue Casimir-Périer était devenue complètement blanche. Mme Dutertre croisa son fichu sur sa poitrine desséchée, et mit le nez dehors pour enregistrer le spectacle, un monde blafard et dépeuplé.

Elle rentra vivement dans sa coquille de bouquins ; prit l'eau de sa gazouillante bouillotte ; alla quérir deux morceaux de sucre, un verre, une cuiller et la bouteille de rhum ; se confectionna un petit grog soigné, qu'elle but par petites gorgées, en faisant beaucoup de bruit. Tout cela ne parut point troubler le sommeil de Saturnette. Mme Dutertre soupira ; se rassit ; et reprit sa lecture.

Elle lisait *Le Journal d'un Bourgeois de Paris, sous Charles VI et Charles VII* : Item, en ce temps estoient les loups si affamés, qu'ils desterroient à leurs pattes les corps des gens qu'on enterroit aux villaiges et aux champs ; car partout où on alloit, on trouvoit des morts et aux champs et aux villes, de la grant pouvreté, du cher temps et de la famine qu'ils souffroient, par la maudite guerre qui toujours croissoit de jour en jour de mal en pire.

Ça durait comme ça pendant des pages et des pages. Ce n'était pas drôle l'Histoire, songeait Mme Dutertre, arriverait-on jamais à sortir les hommes de là, elle en désespérait. Et dire qu'il y avait seulement trois ans, il y avait encore des tas de gens qui non seulement se croyaient heureux mais encore pensaient que ça durerait tout le temps comme ça, en s'améliorant même, et d'autres pour qui la Paix était descendue sur terre pour s'y établir à jamais. Mme Dutertre soupira puis reprit sa lecture : Item, en ce temps estoit très grant mortalité, et tous mouroient de chaleur qui au chef les prenoit et puis la fièvre ; et mouroient...

Mme Dutertre vit alors Lehameau.

Il s'ébroua un peu avant d'entrer et cogna ses souliers contre le seuil pour les débarrasser de la boue congelée qui les ressemelait.

— Voilà une heureuse surprise, s'écria Mme Dutertre en fermant joyeusement son livre. Ça fait au moins six semaines que je ne vous ai pas vu. Vous n'avez pas été malade j'espère. Je suis bien contente que vous soyez venu, je m'ennuyais mortellement et surtout après vous. Je suis absolument ravie. Vous voulez que je vous fasse un petit grog pour vous réchauffer ? Crotte, j'ai oublié de remettre de l'eau dans la bouillotte. Attendez un instant, je vais en remettre, ce ne sera pas long.

Elle remit donc de l'eau dans la bouillotte.

— Alors, mon cher ami, reprit-elle, qu'êtes-vous donc devenu durant tout ce temps ? Ce sont vos amours qui vous ont ainsi retenu loin de moi et vous ont empêché de me faire une petite visite de temps en temps ?

Lehameau réfléchit.

— Ma foi oui, répondit-il en souriant ce sont mes amours.

— Racontez-moi ça, dit Mme Dutertre.

— J'étais venu plus ou moins pour cela, dit Lehameau, tout au moins pour vous annoncer une ou deux nouvelles.

— Ah ! Je vous écoute.

— La première nouvelle, madame Dutertre, c'est que je suis fiancé.

— Ah ! Toutes mes félicitations. Eh bien ça c'est une nouvelle. Comment ça s'est-il passé ? Qui est-ce ?

— C'est une demoiselle Rousseau, dit en termes bourgeois le visiteur. Vous ne connaissez sûrement pas, c'est une famille modeste, très modeste. Plutôt dans le genre ouvrier, ajouta-t-il timidement.

— Vous allez vous mésallier, monsieur Lehameau ?

— C'est un bien gros mot, fit-il en riant. Après tout je ne sors pas de la cuisse de Jupiter, ajouta-t-il d'un air bonhomme. Enfin je l'aime c'est le principal, non ?

Mme Dutertre le regarda avec suspicion.

— Vous m'étonnez, murmura-t-elle.

— Pourquoi ? Vous trouvez cela extraordinaire que j'épouse, un jour, plus tard, une jeune fille que j'aime parce qu'elle est, ma foi, sans le sou ?

— Je trouve cela tout naturel, et même louable. Mais de votre part, cela m'étonne. Et votre frère, qu'est-ce qu'il en dit ?

— Je lui en ai à peine parlé. Vous savez, lui, il juge tout du point de vue grande-guerre. Comme je retourne au front, il me croit tout permis. Parce que voici la seconde nouvelle, madame Dutertre, ma convalescence est terminée ; elle a été je dois dire assez longue.

— Vous retournez au front, ah, mon dieu, quelle guerre, quelle guerre, toutes mes pensées vous accompagnent, tous mes vœux, monsieur Lehameau, Bernard, permettez-moi de vous appeler Bernard.

Elle se tamponna les yeux.

— Voilà trop de nouvelles à la fois, ajouta-t-elle.

Glissant sur le parquet comme un fantôme lamentable elle alla faire deux grogs de l'eau frémissante. Les deux grogs furent appréciés en silence. La neige continuait à choir, en lourds paquets.

— Quel temps quel temps, murmura Mme Dutertre.

— Un temps d'hiver, dit Lehameau gaiement. Un temps de février. S'il ne tombe pas de la neige en hiver, quand donc en tombera-t-il ? C'est encore mieux qu'il en tombe en hiver qu'en été, vous ne trouvez pas ?

— Si fait. C'est comme ça qu'il faut prendre la vie. En effet. Mais la vie, Bernard, la vie des hommes, ce n'est pas comme le temps. A partir d'un certain moment il n'arrête plus de neiger. Il neige, il neige, il n'arrête plus de neiger, ça devient une lourde douleur, vous ne pouvez pas savoir, et le beau temps ne reviendra plus, on peut en être certain.

— Cela vaut encore mieux qu'il neige quand on est vieux que lorsqu'on est jeune, vous ne trouvez pas ? Et puis la neige c'est beau aussi : la vraie neige.

— Vous êtes devenu un sage, murmura Mme Dutertre avec amertume. C'est sans doute parce que vous aimez. Mais tout ça ne m'empêchera pas de pleurer de grosses larmes quand je penserai à vous, Bernard, là-bas dans les tranchées dans la boue quelle horreur.

Elle recommença à se tamponner les yeux.

— Allons, allons, madame Dutertre.

Il ajouta très objectif :

— Ce n'est pas gai, précisément.

Ils finirent leur grog en silence.

— Eh bien voilà, dit Bernard. Je vais vous faire mes adieux. Je vais voir ma fiancée maintenant.

Mme Dutertre restait muette, les yeux fixes, comme congelés.

— Je vais me sentir atrocement seule, murmura-t-elle.

Puis elle bougea. Elle reprit un aspect un peu plus animé.

— Et vous savez, dit-elle, M. Frédéric ne vient plus me voir, lui non plus.

— Je m'en doute, dit Bernard.

— Pourquoi donc ? Il lui est arrivé quelque chose ?

Un court temps Bernard hésita. Puis :

— A l'heure qu'il est il doit être fusillé M. Frédéric.

— Comment ? qu'est-ce que vous dites ?

— Je dis que les autorités militaires françaises ont jugé nécessaire la suppression physique de cet individu.

— Lui ? C'en était un ?

— Oui.

— Ah, mon dieu, quelle guerre, quelle guerre. Je ne l'ai pas soupçonné un seul instant.

— Il était si érudit, hein.

— Je le trouvais sympathique. La canaille. Le salaud. Qui l'aurait cru ?

— Moi. Mais peu importe. A quoi bon le haïr. Je ne suis pas de ceux qui s'étonnent qu'il y ait dans la nature des scorpions et des poux.

Mme Dutertre le regardait faisant un grand effort pour déchiffrer l'être nouveau qui se présentait à elle.

— Alors, finit-elle par dire, vous ne haïssez plus les pauvres, ni les misérables, monsieur Lehameau ?

— Ni les Allemands même, madame Dutertre, répondit-il en souriant. Pas même eux. Pas même les Havrais, ajouta-t-il en riant.

— Il faut alors que vous soyez devenu un bien grand sage, dit Mme Dutertre en essayant de plaisanter.

Bernard se leva.

— Eh bien, madame Dutertre, adieu. Je m'en vais à la guerre, comme tout le monde.

Elle lui prit la tête dans les mains et l'embrassa sur les deux joues.

— Adieu mon garçon.

Il disparut brusquement.

Les rues étaient blanches et vides. Il attendit longtemps un tramway. Qui le traîna péniblement vers la hauteur. Autour du fort de Tourneville le vent galopait comme un chien fou qui essaie de se mordre la queue. La neige dansait. Enfin Bernard arriva devant la villa aux animaux de faïence. Il sonna, aperçut un geste sous un rideau levé, entra.

Il s'essuya poliment les pieds. Madeleine le débarrassa de ses vêtements chargés d'une poudre glacée. Un pas léger se fit entendre dans l'escalier et Bernard sentit se presser contre lui un petit corps chaud et vibrant, une flamme.

— Annette, murmura-t-il, ma vie, ma vie, ma vie.

Dehors il n'avait jamais fait aussi froid.

DU MÊME AUTEUR

LE DIMANCHE DE LA VIE.

ZAZIE DANS LE MÉTRO.

ŒUVRES COMPLÈTES DE SALLY MARA.

ON EST TOUJOURS TROP BON AVEC LES FEMMES.

LES FLEURS BLEUES.

LE VOL D'ICARE.

Essais

EXERCICES DE STYLE.

BÂTONS, CHIFFRES ET LETTRES.

UNE HISTOIRE MODÈLE.

ENTRETIENS AVEC GEORGES CHARBONNIER.

LE VOYAGE EN GRÈCE.

CONTES ET PROPOS.

TRAITÉ DES VERTUS DÉMOCRATIQUES. *Texte établi et annoté par Emmanuël.*

Mémoires

JOURNAL, 1939-1940 *suivi de* PHILOSOPHES ET VOYOUS. *Texte établi par A.I. Queneau. Notes de Jean-José Marchand.*

JOURNAUX 1914-1965. *Édition établie par A.-I. Queneau.*

En collaboration

LA LITTÉRATURE POTENTIELLE («Folio essais», n° 95).

LA LITTÉRATURE POTENTIELLE («Folio essais», n° 109).

Pléiade

ŒUVRES COMPLÈTES.
TOME 1. *Édition de Claude Debon.*

Hors série Luxe

EXERCICES DE STYLE. *Illustrations de Jacques Carelman et Massin (nouvelle édition en 1979).*

ZAZIE DANS LE MÉTRO. *Illustrations de Jacques Carelman.*

Grands Textes illustrés

ZAZIE DANS LE MÉTRO. *Illustrations de Roger Blachon.*

Traductions

VINGT ANS DE JEUNESSE, de *Maurice O'Sullivan.*

PETER IBBETSON, de *George Du Maurier.*

L'IVROGNE DANS LA BROUSSE, d'*Amos Tutuola.*

Dans la collection « Folio junior »

RAYMOND QUENEAU UN POÈTE.

Chez d'autres éditeurs

UNE TROUILLE VERTE.

À LA LIMITE DE LA FORÊT.

EN PASSANT.

LE CHEVAL TROYEN.

BORDS.

MECCANO.

DE QUELQUES LANGAGES ANIMAUX IMAGI-NAIRES...

MONUMENTS.

TEXTICULES.

L'ANALYSE MATRICIELLE DU LANGAGE.

BONJOUR, MONSIEUR PRASSINOS.

Ouvrage reproduit
par procédé photomécanique.
Impression Société Nouvelle Firmin-Didot.
à Mesnil-sur-l'Estrée, le 2 janvier 2001.
Dépôt légal : janvier 2001.
1er dépôt légal : mai 1977.
Numéro d'imprimeur : 53997.

ISBN 2-07-029648-2./Imprimé en France.

99417